CLAUDE

光的追随者

蒋勋谈莫奈

蒋勋 著

MONET

北京联合出版公司

MONET

目录 CONTENTS

目录 CONTENTS

第三部

莫奈

作者序

印象派的命名者——莫奈

要在西方近代美术史上选一个大众最熟悉的画家，可能就是莫奈吧。

因此我也常常在思考：为什么是莫奈？

有什么原因使莫奈的绘画和大众有了这么密切的关系？

在巴黎读书的时候，常常会一个人，或约三两个朋友，坐火车到奥维（Auver），在梵高最后长眠的墓地旁静坐，看他在生命最后两个月画的教堂，以及麦田里飞起的乌鸦。

风景的沉静荒凉，像是画家留在空气中的回声，还在回荡呢喃。

我也去过吉维尼（Giverny）莫奈后半生居住与创作的地方，有他亲手经营的莲花池，有他设计的日本式拱桥，有开满缤纷璀璨花朵的花圃，有他大到吓人的厨房，墙上挂着一排一排大小不一的铜锅，比我看过的豪华餐厅的厨具还要齐全。在挤满各国游客的莫奈艺术品复制贩卖中心（他当年创作的画室）看到《莫奈食谱》，图文并茂，记录介绍当年莫奈招待宾客调制的餐肴料理，令人叹为观止。

如果梵高是艺术创作世界孤独、痛苦、绝望的典型；莫奈恰好相反，他的世界明亮、温暖，洋溢、流动着幸福愉悦的光彩。

因为这样的原因使我更偏执地愿意陪伴在梵高身旁吗？

也因为这样的原因使大众更热烈地拥护莫奈吗？

以上是动笔写作以前先写好的一篇短序。如今书写完了，觉得“破解”的功课做完，可以再一次回头去省视莫奈被如此多大众喜爱的原因，再多说一点话。

莫奈是华丽的，他一生追求灿烂华美的光。他的画里很少黯淡的颜色，很少用黑，很少用灰，很少用深重的颜色。

莫奈常常带领我们的视觉走在风和日丽的天空下，经历微风吹拂，经历阳光在皮肤上的温暖，经历一种空气里的芳香。

在莫奈的世界里，没有单纯的颜色，他的颜色是一种光。

因为光，所有的色彩都浮泛着一种瞬息万变的明度，我们称作“色温”——

是色彩的温度。

然而，色彩真的有温度吗?

如果闭上眼睛，用手去触摸，可以依靠触觉感知红的热、蓝的冷，可以感知绿的介于冷色与暖色之间的复杂温度吗?

创立印象派的莫奈相信色彩是有温度的，因为光紧紧依附着颜色，光渗透在颜色里，光成为色彩的肉体，光成为色彩的血液，光成为色彩的呼吸，因此色彩有了温度，色彩也才有了魂魄。

光是色彩的魂魄。

一八七二年，在破晓前，莫奈把画架立在河岸边，他等待着黎明，等待第一线日出的光，像一只黄金色的箭。

一刹那间，在河面上拉出一条长长的光。

光这么闪烁，这么不确定，这么短暂，一瞬间就消失幻灭，莫奈凝视着光，画出历史上划时代的作品《日出印象》。

一八七四年《日出印象》参加法国官方沙龙的竞赛，保守的学院评审看不懂这张画，学院评审长期在昏暗的、闭锁的、狭窄的画室里，他们不知道外面世界的光如此华丽灿烂，如此瞬息万变。

莫奈的《日出印象》落选了。那一年莫奈三十四岁，他从十五岁左右就爱上绘画，从漫画开始，到十六岁认识了画户外海洋天空风景的布丹（E. Boudin），开始走向自然，走向光，走向无边无际辽阔丰富的光的世界。

莫奈会为一次比赛的“落选”失去对光的信仰吗？

当然不会，莫奈跟几个一起落选的朋友举办了“落选展”，陈列出他们的作品，希望巴黎的大众可以来看，可以比较“落选”与“入选”的作品。

“入选”的作品都是对古代的回忆与怀旧，一个假想出来的不真实的世界。然而，“落选”的作品展现了当时巴黎现实的生活。火车通车已经有四十年，工业革命改变了一个城市的面貌，市民阶层乘坐火车到郊外度假，看着一片一片的阳光从车窗外闪烁而过，他们的视觉经历着前所未有的亢奋，速度、节奏都在改变，视觉也在改变。

像台北有了最早通兰阳平原的火车，火车穿行过一段一段隧道，感觉到工业节奏的人们就唱起了轻快愉悦的《丢丢铜》那样活泼带着新时代精神的快乐歌谣。

莫奈的《日出印象》是工业革命时期对光、对速度、对瞬间之美最早的礼赞。

《日出印象》展出，大众看懂了，知道这是他们时代的颂歌。然而媒体记者看不懂，自大与偏见使他们活在过去狭窄的框框里，无法自由思考。

一名自大的媒体记者大篇幅嘲讽莫奈，故意引用他画的名字中“印象”两个字，批评莫奈只会画“印象”。

恶意的嘲讽竟然变成大众争相讨论的话题，支持莫奈，和莫奈站在同一阵线的艺术家们因此大声宣称：是的，我们就是“印象派”！

莫奈的一张画诞生了一个画派，莫奈的一张画为历史上一个最重要的画派命名，现在收藏在巴黎玛摩丹美术馆的《日出印象》是历史上划时代的标志，莫奈是印象派的命名者。

因为莫奈的《日出印象》，印象派在一八七四年诞生了。印象派是当时世界上影响力最大的画派，印象派之前，欧洲的绘画流派大部分局限在欧美的影响范围。印象派很快成为世界性的画派，十九世纪末的中国台湾，就已经通过日本的引介，接触到印象派，活跃于日据时代的台湾早期画家也多半从印象派入手，追求光，追求户外写生，追求在不同季节、不同晨昏，对同一处风景的长期观察。

莫奈从巴黎搭火车沿着塞纳河的河港城市写生，他在阿让特港（Argenteuil）进行了长达近十年的写生，在船屋画室居住画画，贴近水面，更细微地观察水的反光，记录下光在瞬息间的变幻，这些经验也都印证在台湾地区早期画家坐火车到淡水画画，淡水也是河港市镇，也可以观察日落的水面反光。

印象派不只影响画家创作，甚至也影响到现代人的生活方式，乘坐火车，到河口海滨度假，与家人朋友三三两两在风和日丽的季节在公园野餐，享受周休假日的悠闲，这些最早在莫奈画里看到的现代城市市民的生活方式，已经呈现出政治开明、经济富裕的现象，成为世界性的生活现实，成为人们对生活美好的共同向往。

因此大众喜爱莫奈，因为那画中的生活正是他们的生活，贴近他们的向往，贴近他们对生活的理解与盼望。

富裕、悠闲、自由、轻松，莫奈的画摆脱了欧洲学院传统的沉重与压力。传统的绘画总是在夸张生命的激情，重复诉说历史或社会悲剧，而莫奈希望把现代人从历史暗郁严肃的魔咒中解脱出来。

风和日丽，云淡风轻，春暖花开，一个自由解放的时代，一个没有恐惧、没有太大忧伤痛苦的时代，一个放下现实焦虑的时代。莫奈带领他的观众走向自然，感觉阳光，感觉风，感觉云的飘浮，感觉水波荡漾，感觉光在教堂上一点一点地移动，感觉爱人身上的光，感觉田野中麦草的光，感觉每一朵绽放的睡莲花瓣上的光；感觉无所不在的光，原来，光就是生命本身，光一旦消逝，就没有了色彩，也没有了生命。

莫奈的美学是光的信仰，也是生命的信仰。

写着莫奈，写到一八七九年九月二日，他站在病床前凝视着临终的妻子卡蜜儿，这个十八岁时就跟他生活在一起的女子。他在一八六五年以后的画里画的都是卡蜜儿，坐着、站着、沉思着或行动着的卡蜜儿，徜徉在阳光里的卡蜜儿，在窗边幽微光线里为孩子缝补衣物的卡蜜儿，直到罹患绝症的卡蜜儿，撑着洋伞，站在亮丽的阳光里，一身素白，衣裙纱巾都被风吹起，像要一刹那在风里光里消逝幻灭而去的卡蜜儿。如今，她的肉体受苦，消瘦萎缩，在一层一层床单包裹下，卡蜜儿脸上的光在改变，红粉的光转变成暗淡紫色，转变成青绿，转变成灰蓝，光越来越弱，莫奈凝视着那光，他拿出画笔，快速记录着，像迫不及待想挽留什么，然而，什么也留不住，卡蜜儿脸上的光完全消失了，完全静止了，不再流动，只有莫奈手中的那张画，悬挂在巴黎奥赛美术馆的墙上，告诉我们莫奈最想留住的光。

“一切有为法，如梦幻泡影，如露亦如电，应作如是观”，《金刚经》的偈语说的也许正是莫奈一生的领悟，梦、幻、泡、影、露、电，都只是瞬间逝去的光吧。

莫奈长寿，在二十世纪，经历了两次世界大战，经历了因为白内障视觉受伤的痛苦，在完全看不见色彩的状况里，依稀有光，有一点点模糊朦胧的光，莫奈在八十岁高龄继续创作巨幅《睡莲》，含苞的、绽放的、凋零枯萎的，都是睡莲，都是华丽的光。

一九二六年莫奈逝世，他留下的光继续照亮这个世界。

数十年看莫奈的画，二〇一〇年的夏天终于有机缘动笔写下我对他的致敬。

七月与八月，六十天时间，完全闭关，我在花莲，书写莫奈，累了，到七星潭海边看夕阳的光，看砂卡礑溪谷树隙的光，看大山山头飘浮的云的光，看水面上的粼粼波光，看一瞬间飞起的山雀羽毛上的光，看雨后天空的彩虹之光，看盛放的姜花一瓣一瓣打开的温润如玉色的光，一切都在逝去，但一切也都如此美丽。

我和众人一样可以如此深爱莫奈，觉得幸福。

二〇一〇年九月二十日中秋前夕

结稿于淡水八里乡

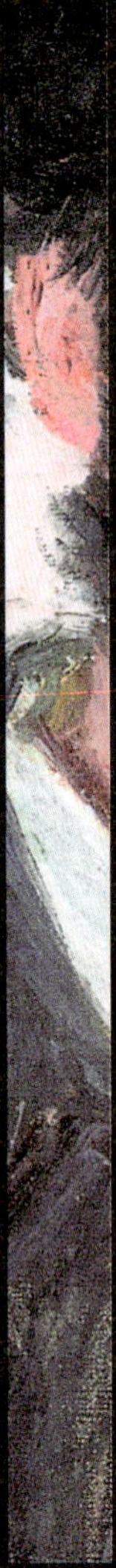

Puzzles

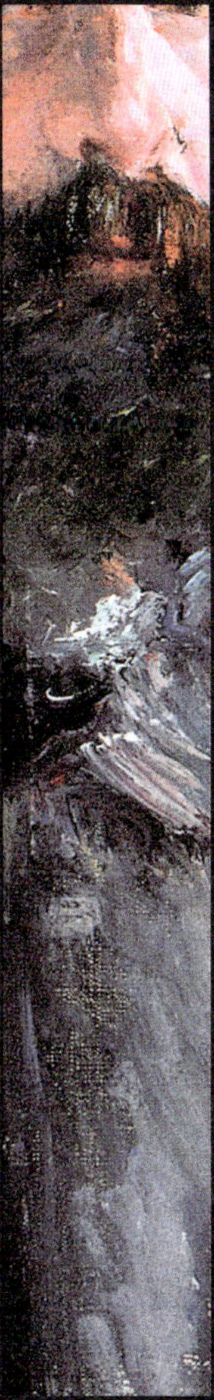

第一部

1. 画不出来 V.S 划时代

莫奈站在黎明前的哈佛港边，
等待水面上第一道日出的光。
他顽固地记录着，
坚决要抓住日出每一秒钟光的瞬间变化。
但是当一轮红日高高升起，
一身是汗的他觉得无力而沮丧……
莫奈发现了什么？
为什么这幅当时饱受嘲讽侮辱的画，
后来竟成为划时代的伟大巨作。

2. 船舟画室

莫奈把一艘船改装成浮在水面上的画室，
他长年在船舟中工作。
是为了**清静、浪漫、孤独？**
抑或是……

3. 隐藏的男孩

这张描绘一家人在户外午餐的画中，
隐藏着一个小男孩，
你能发现吗？
为什么，画家让他的身影轮廓如此模糊？

光消逝了，颜色褪尽了，
这张画静静藏在美术馆一个不起眼的角落，
常被热爱印象派炫丽华美之光的观光客忽略，
它却是**莫奈一生最私密的画，**
常被热爱印象派炫丽华美之光的观光客忽略，
最艰难的一页功课。
终其一生，
他常忆起这一刻在她脸上看到的余光，
这么留恋，
但是怎么留留不住。

她是谁？

5. 鲁昂教堂

长达两年时间，
莫奈画著法国中世纪以来哥特形式最重要的建筑古迹鲁昂教堂
——圣女贞德遭受火焚酷刑的地方，朝圣香客络绎不绝的景点。
然而，
三十几幅《鲁昂教堂》连作，
却看不到教堂的全貌与细节，
你看到了什么？
你能看出每一幅教堂是在什么时辰，什么气候，什么季节画的吗？

“我毁掉自己的画，我瞎了！”

一九二二年五月莫奈写信给朋友，

那是八十二岁的老画家在极度绝望里的哀号的声音。

然而，在手术后清晰——模糊、模糊——清晰的折磨中，

莫奈完成了**巴黎橘园美术馆的巨大作品《四季睡莲》**，留给世界最后的伟大礼物。

莫奈说，他要画出“无限”

你……认为?

Scenes

第二部

蒋勋现场

圣拉扎尔火车站

1877

75×104 厘米

法国巴黎奥赛美术馆

莫奈这件作品一九九二年曾经在台湾“历史博物馆”“黄金印象”中展出，当时负责布展的奥赛美术馆工作人员告诉我：这是密特朗总统最喜爱的一幅画，因为它代表了一种年轻与进步。

现在走进奥赛美术馆，发现就是一个十九世纪的火车站改建的美术馆，“奥赛”原来是火车站的名字，许多印象派画家在这里进出，坐火车外出写生，月台上都是他们的记忆，所以“奥赛”火车站变成了“奥赛”美术馆，用来永远纪念印象派一代的美学记忆。

我常常会因此问自己：台湾在日据时期人进人出的台北老火车站为什么拆得精光，没有留下一点记忆？

不是从日据时期也一样有许多画家从那些月台出发去各地画画吗？

美其实是记忆的坚持与永续，记忆不可抹杀，记忆能一点一滴累积就是美。

干草堆（系列连作）

1884-1891

巴黎奥赛美术馆的一幅《干草堆》描绘的是夏季清晨的日出之光，蓬勃璀璨，整个天地被浩大的光充满，连阴影里也有光，非常细微的光，像要独自飞扬起来欢呼的日出之光，欢欣却又安静，含蓄却又饱满，充满旺盛的生命力，却又如此谦逊宁谧，没有一丝一毫的嚣张。

波士顿美术馆的一幅《干草堆》画的是雪夜过后的清晨，地上还留着残雪，然而日光照亮大地，万物要苏醒了。

莫奈采取了背光的角度，阳光从干草堆后方升起。影子在地上拖得很长，影子里都是未融化的残雪。然后阳光如此明亮，是冬季一夜大雪之后特别晴朗明亮的清晨，使人想起王羲之“快雪时晴”四个美丽的字。干草堆四周有晨曦微微亮起来，是光的动，莫奈颜料堆得很厚，颜料纠结重叠挤压成光的层次与温度。

干草堆（雾中清晨） 1891，私人收藏。

芝加哥艺术中心（Art Institute of Chicago）得天独厚，拥有六幅不同场景的《干草堆》。借这连续的画作，可以看到莫奈在同一主题中对“时间”的关注。不同的“时间”，不同的“光”，使同一个主题不断发生变化。一件私人收藏的《雾中清晨》华丽如同神话。因为是背光，雾气中的黎明光辉围绕在干草堆四周。干草堆相较之下非常暗，草堆三角尖锥形状的边缘有像火焰一样的光。光也在远处地平线上亮起来，像一支号角发出嘹亮的声音，高亢明亮，连近景地面上一根一根残断芜杂的麦梗也被照亮了，整幅画像一首结构巨大的交响诗，是以干草堆为中心，却以色彩与光错综交织成的伟大史诗结构。

光被分解了，光的分子独立飞舞着，光原来不是一个固定的概念。光是千万亿万种不同的个体，它们偶然相遇，依存在一起，被称为“黎明”“晨曦”“春光”“夏日”“黄昏”“余晖”“月光”“秋光”“雪光”“水光”“波光”，甚至用在人身上的“眸光”，都是瞬间消逝，把握不住，却深刻得难以忘怀的记忆 。

莫奈想借《干草堆》留住光吗？还是他因此知道一切令人动容的美丽之光，最终都如同卡蜜儿临终脸上的光，无论如何留恋，还是一去不复返了？

吉维尼的干草堆

1884，65×81 厘米

干草堆 1885

吉维尼附近的干草堆

1885，74×93.5 厘米

吉维尼的干草堆

1886，61×81 厘米

干草堆 · 正午 1890

65.4 × 100.3 厘米

干草堆 1891

61×101 厘米，法国巴黎奥赛美术馆藏。

干草堆·雪景

1891，65×92 厘米

落日中的干草堆

1891，61×100.5 厘米

垂柳

1918-1919
140 × 150 厘米
私人收藏

我特别喜爱莫奈在接近八十岁高龄时创作的《垂柳》系列［也常常被称为《水仙》系列（*Nymphaea*）或《睡莲》（*Water lilies*）］。

在好几个美术馆面对原作，浓厚的颜料油彩，流动随性的笔触线条，看来抽象率性的色彩，看久了画面会出现极为微妙复杂的光。

高明度的黄色是眼科医学上认为莫奈患白内障以后出现的“病变”色彩。但是，有一件《垂柳》里的明黄色，我看了很久，像是看到莫奈泪光闪烁的刹那。

那夹在丝丝垂柳之间的明黄色块，那浮动在阴绿水波上的一片一片的金黄，是一刹那就会消逝的光，是瞬间的神迹，是阳光突然破云而出，是夕阳余晖刹那的反照，

Claude Monet

我们常常被这样的光惊动，在迂回的山路上，在黄昏的海边，被惊动了，一回首那光就逝去了，什么也没有留下。

只有一生寻找光的画家，到了老年才会领悟，一切的寻找都只是徒然。

蓦然回首，在放弃沮丧的边缘，那光瞬间出现，还来不及惊叫，顷刻就不见了。

莫奈画出了这样的光。

画中的明黄色比花朵更鲜明，比垂柳更鲜明，比蓝色池水更鲜明，那一片一片的金黄，稍纵即逝，那是岁月之光，是时间，是生命本身。

睡莲

1920
200×427 厘米
英国伦敦国家美术馆

视觉的模糊也许是开启心灵的另一双眼睛的开始。

莫奈在英国伦敦国家美术馆的一张巨幅《睡莲》几乎是一件抽象的作品，一圈一圈的鹅黄色浮在粉蓝色中，一缕一缕的笔触，交错迷离，像是垂柳，像是水波，像是闪烁的光，物象彻底被解体了，还原成色彩与笔触，还原成真正的视觉，不再有任何联想。

如果依照眼科医学的说法，是因为白内障莫奈才看到了这张画里的明黄色，那么，是多么伟大的白内障啊！

塞尚说过：莫奈只有眼睛，但是，多么伟大的眼睛啊！

一个老画家，一直到八十岁高龄，罹患严重白内障，被判定视觉的“死刑”之后，忽然心灵的眼睛被开启了，他看到了世俗的眼睛看不到的神界之光。

四季睡莲·垂柳

1920

200×1275 厘米

法国巴黎橘园美术馆

有一年，跟朋友一大早走进橘园，走进莫奈《四季睡莲》的展示厅，整个空间没有其他人，我们静静坐着，好像从黎明坐到黄昏，好像从春天坐到了秋天，好像月光初启，耳朵里都是水声，每一朵绽放的花蕊里都是星辰的流转。

莫奈在做一生的回首，因此《四季睡莲》是他给自己作的“安魂曲”。

有三段是特别用垂柳作主题的，可以清晰地看到柳树的树干，看到柳条，有的从上而下，在微风里飘拂，有的是水中倒影，交错迷离，云影来去，花都浮在云朵上，真实与虚幻重叠错杂，仿佛梦中现实，又像是现实处处如梦似幻，其实已经无法究诘，什么是真？什么是幻？

原来东方最本质核心的哲学却在莫奈画中一一被体现出精华与神髓。

第三部 莫奈

Claude Monet

莫奈童年

一八四〇年十一月十四日莫奈生于巴黎，他的父母都是第二代在巴黎定居的居民，从事一般社区杂货店的生意。

十九世纪四十年代，法国工商业发达，近代的工业革命使得大都会（Metropolitan）很快形成，农村人口向都市集中，工业革命要求的速度效率很快反映在大都会中，巴黎是法国的首善之区，刚刚出现的火车以巴黎为中心伸向各个乡镇。

十九世纪四十年代活跃于巴黎的画家是库尔贝（G.Courbet），是杜米埃（H.Daumier），前者来自法国边远山区小镇，对暴发户似的大都会巴黎愤怒抨击，库尔贝画《采石工人》突显了工业革命初期劳工受压迫被剥削的处境。

库尔贝不只以绘画划分社会不同阶级，他甚至亲自上街头，参与对政府的抗争，曾经领导群众毁坏巴黎高级住宅区凡顿广场（Vendome）中央巨大的拿破仑立柱，因此被控毁坏公物，被判处以所有收入赔偿政府，因此库尔贝长年流亡瑞士，不敢回巴黎。

杜米埃也是在偏远的法国南部马赛港长大，到了巴黎之后同样看不惯大都会资产阶级的穷奢极侈，也看不惯上层社会的矫揉造作。杜米埃最负盛名的作品是他的政治讽刺漫画。用炭笔速写，略加夸张，用版画刻印复制刊登在第二天的报纸上，挖掘政治人物的恶德隐私，抨击政治人物对人民抗争的镇压屠杀，对政治事件的即时反应，甚至以快报形式张贴在巴黎街头，引起极大的民众情绪，因此杜米埃常常以煽动罪被法国政府逮捕。

上述两位活跃于十九世纪四十年代巴黎的艺术家，库尔贝、杜米埃，都明显反映出法国工业革命以后城乡阶级距离拉大，在美术上产生的影响。

事实上，不只是美术运动，文学方面也有如同左拉（E. Zola）这样的小说家，不只创作了《小酒店》《娜娜》这一类富于社会犀利观察的小说，同时他也曾经上法院，为冤屈者书写控诉状，直接把自己的文化主张诉诸实际行动。

这是莫奈出生时与童年时代法国的文艺现象，被广义地归纳为“写实主义”。“写实主义”（Realisme）很显然是用艺术表示对“现实”“真实”（Real）的关心。

十九世纪四十年代主流的法国官方沙龙流行着对古代希腊罗马诗意抒情的回忆，画家的画作常常是躺在海洋波浪上的维纳斯美丽的女性裸体，与“现实”无关，也与“真实”无关。巨大的工业革命改变了社会结构，城乡差距日益扩大，劳资矛盾日益严重，青年一代不可能继续陶醉在学院主流的抒情唯美美学中，纷纷在创作里介入全新的社会议题。

写实主义运动里除了库尔贝、杜米埃之外，另一位重要的人物是巴比松画派的米勒（Jean-Francois Millet）。

台湾地区举办过米勒大展，他代表性的作品《晚祷》《拾穗者》都曾经展出。

米勒出身于法国西北诺曼底省的一个农民家庭。莫奈在四岁以后随父母迁往诺曼底哈佛港（Harve）定居，一直到十九岁才离开。莫奈的童年、青少年时代，都在诺曼底度过，他与米勒最早的土地记忆是非常相似的。

米勒也是在二十岁左右离开家乡，前往巴黎画画，艺术学院毕业。一度试图以人物肖像与裸女画成为职业画家的米勒，最终离开巴黎，前往巴比松（Barbizon）农村，以画笔歌颂土地，歌颂自然，歌颂人的劳动，歌颂农民在艰难生活中的生存（《拾穗者》），歌颂传统信仰的力量（《晚祷》），为写实主义找到抗争以外的另一条宽广的大路。

从十九世纪六十年代一直到一八七四年米勒去世，正是莫奈从诺曼底到巴黎开始创作绘画之时，莫奈的敢于创新，敢于挑战传统，敢于叛逆主流学院官方的评审，都与他成长过程中一些前辈的努力有关。

米勒去世的一八七四年，正是莫奈《日出印象》展出的那一年，《日出印象》（*L'impression, le soleil levant*）是当年官方沙龙美展落选之作，莫奈不惧评审权威，大胆展出落选作品，被无知媒体记者依其画名讽刺为“印象派”（Impressionism），误打误撞，开创了美术史全新的一页。

莫奈与漫画

莫奈最早的绘画才能与兴趣表现在他一系列的漫画作品中。

法国的漫画（caricature）与十八世纪新兴的报纸媒体有密切关系。画家利用速写勾勒社会或政治事件，特别是公众熟悉的政治人物的长相特征，加以夸张或变形，使阅读报纸的读者会心一笑，对文字的描写也有画龙点睛的效果，在广大民众间留下深刻印象，影响十分巨大。

十九世纪中期前后，报纸漫画最重要的创作者就是前面提到的写实主义画家杜米埃。

杜米埃的油画作品不多，在博物馆不容易看到他的画作。但是他利用石版画的复印技巧快速反映法国政治事件，这些作品大量印制在报纸上，或张贴在街头墙壁上，成为一个时代法国人的共同记忆。

杜米埃一部分作品是以讽刺社会上层政商名流为主，脑满肠肥的暴发户资本家，贪婪而自以为是的民意代表、国会议员，摆弄威权玩弄民意的政客，形形色色的法国中产阶级的有趣嘴脸，都在杜米埃的画笔下被勾勒了出来，使城市小市民或一般知识分子大为开心。

漫画的即时性非常重要，必须在事件发生后的最短时间内表现出来，因此不可能用到画法繁复的材料与技巧，主流美术的油画就用不上了。

漫画大量运用速写，用简洁的线条快速勾勒人物，突出特征，使大众容易辨认，产生深刻印象。

杜米埃也有一些主题沉重的漫画作品，例如《唐斯诺南街的屠杀》（*Rue transnonam*，April 15，1834），就是以即时的画作反映当时法国当权者对示威民众的屠杀，这一类的漫画就不是以诙谐幽默为主题，而是以简洁画面勾勒出一个时代的悲壮史诗，见证一段难以遗言的历史。杜米埃也常常因为这些漫画被政府以煽动民众的罪名逮捕入狱。

如今杜米埃的许多漫画，已经成为法国儿童和青少年教科书的历史文件插图，见证历史，影响深远。

莫奈在十五岁前后的青少年时期，在偏远的诺曼底外省，正是通过杜米埃在报纸杂志上发表的漫画开始了他最初的绘画生涯。

Léon Manchon 1855—1856，61.2×45.2 厘米（左上）
Jules Didier 1860，61.6×43.8 厘米（右上）
Man with a Big Cigar 1855—1856，59.7×38.4 厘米（左下）
Auguste Vacquerie 1854，28.3×17.5 厘米（右下）
（均收藏于美国芝加哥艺术中心）
莫奈最早的创作是漫画，深受当时法国政治讽刺漫画的影响。

莫奈最早的漫画作品大概创作于一八五五年至一八五八年间，他十五至十八岁阶段。

莫奈在一八五一年进入诺曼底哈佛港的艺术中学，那个时候他十一岁，老师是欧查（Jacques-Francois Ochard），欧查是法国十九世纪初新古典派（Neo-classicisme）著名画家大卫（Jacques-Louis David）的学生。大卫在法国大革命（一七八九年）之后为拿破仑服务，成为宫廷御用画家。他画拿破仑战役图，歌颂拿破仑的丰功伟业，一八〇四年拿破仑称帝的巨幅画作加冕图也是由大卫主持绘制。

大卫遵守希腊罗马古典规则，遵循透视法、解剖学，建立了在欧洲影响深远的学院派画风，他的学生欧查也完全因循老师的美学规则，亦步亦趋，崇尚古典技法一丝不苟的绘画风格。

因此莫奈最初的绘画教育其实受到的是新古典主义的影响。

但是在一个资讯越来越发达快速的时代，莫奈受到的影响也不会只局限在学校内的教育，不会只依循老师欧查的技法。莫奈在中学时代以做一名漫画家为志向，笔触夸大变形，不尊重人体古典的解剖学比例，用炭笔快速勾勒人物特征，这些表现显然不会来自学校老师欧查，而是来自学校外当时流行的书画报刊上的政治讽刺漫画。

十五岁左右，莫奈漫画家的名气已经在地方上传开，他在小镇市场橱窗展示画作，他的一幅炭笔漫画当时可以卖到十至十二法郎，已经是他生活收入的一部分，俨然有做职业漫画家的可能了。

但是一个人的历史角色也许还有许多变数。十五岁的莫奈以漫画家为志向，在小镇略有名气，然而他或许不知道历史要他扮演的角色并不是漫画家，也不在偏远小镇，他将要担负绘画革命的责任，他将要为一个全新的画派命名，他将要带领全世界的画家去观察自然中的光，他也将要改写人类视觉的体验，让人们看到光的华丽、光的灿烂，感觉到光的千变万化，陶醉迷恋在光瞬息的繁华与幻灭之中，如同陶醉迷恋着自己一生故事的流动幻化，处处是美，也处处感伤。

十八岁左右，青年莫奈的漫画和诺曼底当地一位海景画家布丹的作品一起在橱窗展示，莫奈因此认识了布丹，布丹带莫奈走向户外，走向海洋，观察天空中云的变化，莫奈看到了影响他一生美学的“光”。

莫奈后来常说：“没有布丹就没有我。”

莫奈与布丹

莫奈十八岁，他的漫画作品已经固定在哈佛港一家叫阿查（Acher's shop）的小商店贩售，同时在这家商店贩售作品的有比莫奈年长十六岁的布丹，他们认识了，变成好朋友，莫奈因此常常随布丹到附近海边写生，改变了他的漫画志向，对绘画有了不同的看法。

布丹生长在诺曼底，从小和海洋的风景有亲密深刻的接触。以后布丹又做过船员，更有机会感受海洋的一切变化。布丹在一八四四年认识了写实派的大画家米勒。当时布丹年轻，只有二十岁，米勒第一任妻子去世，回到故乡诺曼底，也正在思考创作方向何去何从。

米勒是诺曼底农村出身的农民画家，一度曾经在巴黎学画，也试图做一名职业画家，以肖像画和裸女画来维生，一直没有成功。

第一任妻子逝世后，米勒开始转变，他接触到巴比松画派的一些热爱自然的画家。

巴比松在巴黎西南方，有著名的枫丹白露（Fontainebleau）森林。十九世纪中期有一群画家厌烦工业化以后嘈杂拥挤的都市，纷纷离开巴黎，走向风景优美宁静的大自然。

米勒于一八四七年以后定居到巴比松，但是，从一八四○年以后他就常常跟巴比松的画家一起到农村写生。

二○○九年台北办过米勒和巴比松画家的画展，米勒最著名的作品《晚祷》《拾穗者》也都展出。米勒的作品描绘了工业革命来临时农民对土地的信仰，歌颂劳动的价值，赞美勤俭朴实的农村生活，赞美农民无所怨尤的宽厚精神。

然而巴比松画派的画家并不全然是为了农民走向农村，大部分画家其实是向往农村的自然风景。

十九世纪这些以自然风景为主题的画家，像柯罗（C. Corot）、亨利·卢梭（H. Rousseau），他们更关心自然本身，他们长时间在自然中写生，观察天空的云，观察山脉的起伏，观察水流的反光，观察一片叶子在黎明阳光里的闪烁，观察夕阳最后一线光在地平线上的消逝。

这些画家把上千年欧洲绘画里以人物为主题的传统改变为以自然为主题，他们就像十世纪末期以后的中国画家，在长达一千年间纷纷走向山水。

欧洲的风景画发展比中国晚很多，欧洲面对自然的写生，要晚到巴比松画派产生后，自然山水才真正成为画家关心的主题。

布丹正是通过同乡画家米勒开始亲近巴比松画派，也受到自然主义画家的影响，直接走向大自然，在千变万化的光影中捕捉刹那之间的视觉印象。

布丹不同于巴比松画派画家，他不是面对内陆的森林、溪流，而是面对诺曼底大西洋海岸的大海风景，他在写生过程中直接感受到海洋的瞬息万变，天空的光，每一瞬间都在改变。他感觉到在户外写生的快乐，他告诉年轻的莫奈：你一定要坚持在户外写生。

十九世纪欧洲主流的绘画还是人物画，画家也都在画室内创作。画室内的光是人工营造的，有固定不变的光源。因此可以说布丹是欧洲最早直接面对户外的自然光来创作的画家。户外的光是不稳定的，也无法固定在画家希望的状态，因此户外写生有更加即兴、多变的视觉因素。

布丹把户外写生的经验教给了莫奈，带领他观察户外的自然光。莫奈一生奉行这一规则，终生追求户外写生，被称为“光的追寻者”，他所创立的印象画派也常被称为“外光画派”，以有别于欧洲传统在室内以人工照明画画的学院美学。

哈佛港的风景 1858，46×65 厘米

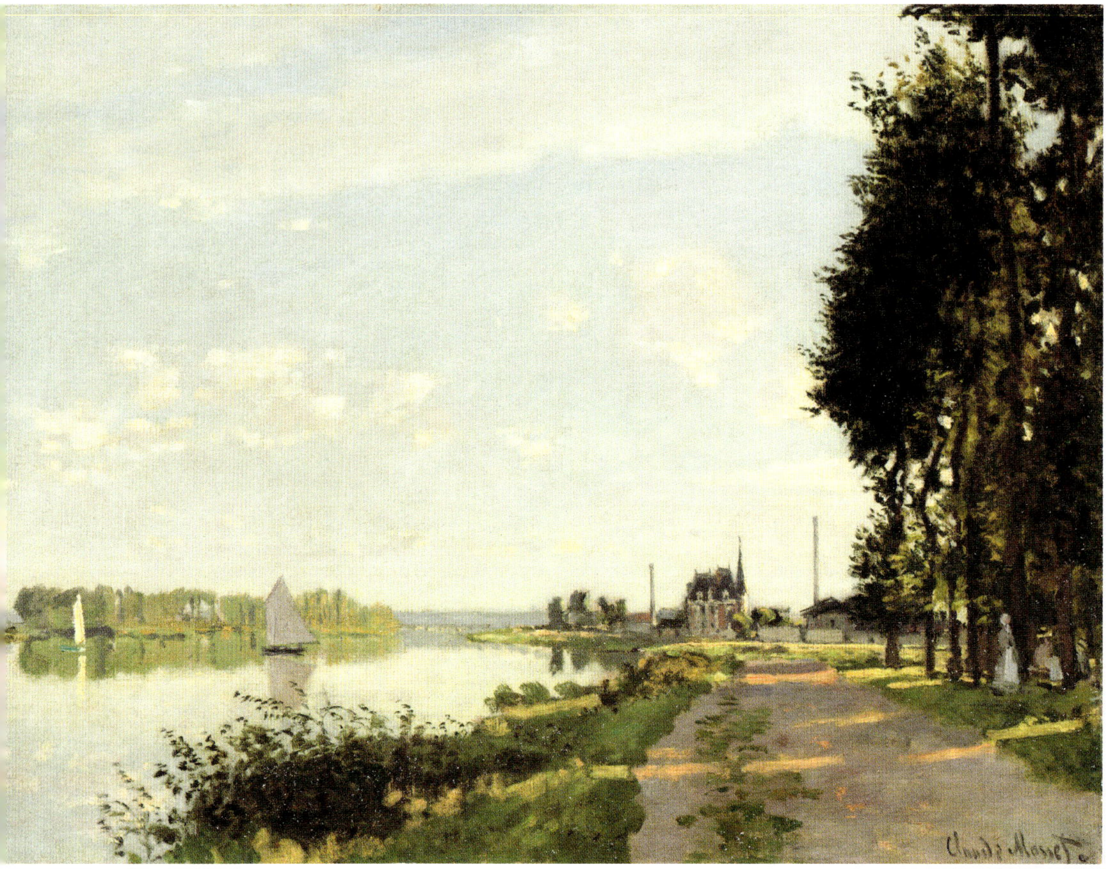

阿让特港 1872

50.3 × 65.2 厘米，美国华盛顿国家画廊藏

帆船赛 1867

莫奈走向巴黎

莫奈在十六岁丧母，因此依靠寡居的姑姑生活，姑姑喜好艺术，对莫奈的绘画创作十分鼓励。

一八六一年莫奈参加法国政府在北非殖民地阿尔及利亚的军队服役，原来准备依照合约服役满十年，结果在第二年就因为水土不服，罹患伤寒，高烧不退。莫奈因此退役，回到家里休养。

姑姑很高兴莫奈离开军队，就表示如果他继续绘画，愿意支持他到巴黎学习，并且介绍当时已颇负盛名的前卫画家戎金（Johan Barthold Jongking）给他认识。

戎金一八一九年生在荷兰拉图普（Lattrop），青少年时代多在鹿特丹，以后进入海牙艺术学院，一八四五年得到奖学金到巴黎进修。

荷兰在十七世纪建国以后，发展海权，船只通过印度洋，殖民中国台湾、印度尼西亚等国家和地区。

因为远洋贸易的发达，荷兰成为最早发展海洋风景画的欧洲国家，观察海洋的壮阔、海洋的风云变幻、海洋的光，都成为荷兰画家的传统。

戎金带着荷兰风景画的优秀传统来到巴黎，正好是巴比松画派在走向大自然的时刻，戎金来往于荷兰、诺曼底、巴黎之间，沿途写生，也在一八六〇年和巴比松画派的柯罗、卢梭及杜比尼（Ch. F. Daubigny）合作，一起写生画画，也一起行销自己的作品，希望以团体的力量打破绘画市场被主流学院把持垄断的现象。

一八六一年戎金到诺曼底写生并介绍自己的作品，莫奈的姑姑欣赏戎金的画风，两人结识，也造就了莫奈与戎金的接触。

莫奈是在圣亚德斯（Saint-Adresse）见到戎金的。

圣亚德斯是诺曼底哈佛港北端一处海岸风景区，有巨岩岬角伸向大西洋，因此圣亚德斯是观赏海景最好的地方。从十九世纪中期，因为火车从巴黎通到外省，交通便利，促使都会人口涌入这里度假，圣亚德斯因此成为许多画家喜欢写生的地方。

从十九世纪六十年代到一八八〇年左右，莫奈二十岁至四十岁，许多最早期的海景写生，都是以圣亚德斯为背景。

常常以此较高的角度俯瞰圣亚德斯海滩长长的海岸线，远处是高起来的岩石丘陵，陡峻崚嶒的海岬伸向大海。

十九世纪法国画家和新兴的观光度假事业一起发展起来，莫奈在这一时期，特别是一八六二年至一八七〇年之间，不断记录圣亚德斯的海滩。他画海港码头，画当地渔民，画单纯的落日或黎明时分的海洋变化。

他在这里遇到了戎金。戎金比莫奈年长二十一岁，以他多年实地在户外写生的经验，告诉年轻的莫奈户外写生的意义，告诉莫奈在瞬息万变的户外自然光线下所有色彩的饱和度与明度，以及在现场直接写生时，才会出现笔触的速度感。

莫奈后来回忆时如此感谢前辈画家戎金，他说：戎金打开了我的眼睛！

一个二十岁的画家终于打开了眼睛，看到了风景，看到了光，看到了笔触。

以后莫奈成为印象派的创始者，终其一生，坚持户外写生，寻找光与色彩的互动，发展自由笔触，这三样几乎是印象派的宗旨，也是二十岁的莫奈从戎金那里得到的最大启发。

圣亚德斯海岸 1883

66×81 厘米，法国巴黎奥赛美术馆藏。
莫奈绘画生涯第一个不断重复写生的主题就是圣亚德斯海滩。

圣亚德斯的庭院

莫奈绘画上有一个独特的习惯，他在一段时间会专注一个主题，对主题反复观察，时间常常长达数年。

莫奈绘画生涯第一个不断重复写生的主题就是圣亚德斯海滩。

在一八六四年到一八七〇年之间，真正的海滩主题在莫奈的作品中逐渐浮现。他关心的其实不只是自然风景，还有风景里的特定人物。

莫奈画过海边的当地居民，以捕鱼为生的渔民，他们可能世世代代住在这里，也并不觉得圣亚德斯海滩的风景美丽，他们到海滩来，就是为了出海捕鱼，或来收网，大多是为了劳动维生，并没有闲适休憩的心情。

十九世纪四十年代的写实主义画家可能关心的就是渔民如何劳苦生活，米勒的画里就充满对劳动农民的同情。

但是莫奈生活于法国工业化以后一个新的时代，他在巴黎居住，感觉到工业化都会的繁华、便利，感觉到工业革命带来的交通速度改变的快乐。

传统农民、渔民是不会有休闲生活的，也没有度假观光的观念。传统的劳动生活里“游手好闲”是一个被批判的负面名词。

然而，时代改变了，工业使人口集中，形成人类历史上少有的大都会，巴黎正是工业革命后法国最早形成的“大都会”。

巴黎的工业、商业人口需要休闲，需要度假，需要观光，需要短暂离开都会，到宁静悠闲的乡村、海边度假。

在度假与休闲的心情下看到的风景是完全不一样的，我们试着在莫奈圣亚德斯画的一件名作里解读这种心情。

《圣亚德斯的庭院》大概创作于一八六五年前后，同一个时间，莫奈画了不少以外地观光客在圣亚德斯海边度假为主题的画作。

一般人想到莫奈，联想到的常常是高明度的色彩，风和日丽。他的绘画世界永远晴朗明亮，没有阴郁沉重的黑色，却有阳光在画面的每一个角落跳跃欢唱。

莫奈画风的第一次展现大概就是这幅《圣亚德斯的庭院》。

一个滨海的庭院，隔着木制的围栏，外面就是大海。海洋上密集着船只，有三角形风帆的船只，远处也有高高烟囱冒着黑烟的机器帆船，工业革命的机械引擎已经运用在现代交通工具上，莫奈的画里反映着他生活的时代。

圣亚德斯的花园 1866

法国蒙彼利埃法布尔博物馆

一直到米勒。写实主义的画家们的画里是没有工业的，没有城市文明，没有现代化的火车轮船。米勒与写实主义的许多画作，像《拾穗者》《晚祷》，创作的年代正是在一八六五年前后，也就是与莫奈画《圣亚德斯的庭院》同时。然而写实画家对一切现代文明视而不见，但是年轻一代的莫奈不同，农村渔村对他而言太陌生了，他熟悉的是火车的轰隆声音，他感觉到兴奋的是蒸汽轮船鸣汽笛的声音，他嗅闻着煤烟喷发的火车头的气味，乘坐火车来到风景优美的海滨小镇，在风和日丽的度假的日子，他悠闲地坐在滨海的庭院里，眺望海景，庭院花圃里盛放着艳红的剑兰和各种色彩明艳的花朵。

应该看得出来，这庭院绝不是一般当地居民的住房，而是一间专门供外地观光客来度假的饭店或别墅。庭院是特别精心设计整理过的，最明显的是高高飘扬在风里的两面旗帜，一面是法国国旗，另一面可能是当地政府或者饭店的标志。一般居民是不会在自己的住房上悬挂旗帜的。

画里最吸引人注意的其实不是海景，而是徜徉在庭院的两对男女。其中一对坐在庭院中央的露天咖啡座上，四张藤制的户外座椅，男子头上戴草编遮阳帽，女子手中拿着小洋伞，背对画面，正在欣赏大海。

圣亚德斯的庭院 1865—1867

98.1×29.9 厘米，美国纽约大都会博物馆藏。
莫奈最早的写生画作洋溢着都市中产阶级度假的悠闲与慵懒。
风和日丽，男男女女享受着走向大自然的幸福。

黑色岩石酒店 **1870**，80×55 厘米

另外一对男女在画面后方，倚靠着栏杆聊天，男子右手拿着手杖，女子也撑着洋伞。

从他们的服饰打扮一眼看得出来不会是当地居民，而是远地来度假休闲的都市居民。

只有工业革命之后才有城乡之间的巨大差距，才有都会的观光度假习惯，才有今天所谓的周休二日。

莫奈正是工业革命以后欧洲最早表现都会度假生活的一代。《圣亚德斯的庭院》里洋溢着生活富足以后才可能有的悠闲，洋溢着悠闲生活里人们陶醉在风和日丽的风景中的愉悦。

许多人喜爱莫奈，或许是向往他画里永远悠闲、愉悦，永远明亮的幸福之感吧。

莫奈还没有成名，还没有创立印象派，然而他的美学风格在圣亚德斯的海边，已经与来自巴黎的都会中产阶级游客一起完成了。

《圣亚德斯的庭院》应该拿来作为莫奈最早表现市民中产阶级度假美学的作品。

初到巴黎的十年，莫奈一直在摸索户外野餐或游憩的市民中产阶级的生活。他们衣着讲究，很明显他们是现代都会追求时髦摩登的青年，是工业革命带来物质富裕后成长的一代，他们徜徉在城市广场、户外的公园、风景优美的河畔及夏日的度假海滨。

格勒鲁依叶 1869，77×92 厘米

男男女女的身影，摆脱了农业时代的贫穷、简陋和劳动的沉重，他们是现代都会文明的第一代，以自信优雅活泼的姿态登上了艺术史，创造了全新的美学内涵。莫奈常常被认为是一名风景画家，但是他初到巴黎，他感受到的时代气氛其实是在人物身上，是工业商业发达起来以后的都会人物，他们在物质富裕之后追求着人性的解放，追求着悠闲自由与幸福。

格勒鲁依叶

1869，59 × 80 厘米

最初的巴黎——马奈的影响

莫奈比较稳定地定居在巴黎是在一八六二年以后。

一个从小对绘画充满热情的青年画家，一个专业美术学校毕业的青年画家，初到巴黎，也许应该着迷于卢浮宫无数古代伟大艺术品的收藏，像一般初到巴黎的习画者，目不暇接，希望通过用功地临摹传统古典作品来培养自己的技巧。

然而，初到巴黎的莫奈，吸引他的似乎不是卢浮宫，不是古典的绘画艺术品。他毋宁更着迷于在街头看人，看都会初形成时那种无以言喻的兴奋与狂喜。十九世纪五十年代巴黎经过塞纳河省督奥斯曼男爵（Haussmann）的主持改建，拆除了狭小弯曲的巷弄，开辟了香榭丽舍一类可以通行现代汽车的宽阔笔直的大道（Boulevard），凯旋门周边的星形广场已经完成，放射状的林荫大道四通八达。巴黎有火车通往外省，可以在周末约亲友一同去附近的河港或海滨度假。

男子穿白领衬衫、深色西装、条纹西裤，手中拿着富有装饰意味、代表身份的银头手杖。女子穿圆点浅色蓬裙，拿着遮阳伞，坐在公园草地上野餐。

这是莫奈看到的最初的巴黎，从政治解放走向民主开放的巴黎，工业商业带动物质富裕的巴黎，现代化的巴黎，已经成为世界性大都会之一。然而，最重要的，是巴黎必须确立美学的信仰，在人性解放的基础上真正建立人的自信、愉悦与幸福。

莫奈初到巴黎，认识了马奈（E. Manet）。马奈正是那几年最受争议的人物，他的两张画作引起了整个巴黎社会的两极分化，媒体以尖刻漫画嘲讽批判他的作品，保守人士视他的画作为洪水猛兽，攻击排山倒海而来。而年轻的画家、前卫开明的知识分子也因此聚集在一起，形成对抗迂腐传统的力量，共同努力催生新时代的人性价值，莫奈正是这个时候到了巴黎，认识了马奈。

马奈在艺术史上通常被称为“印象派之父”。但是看马奈的画作，尤其是十九世纪七十年代印象派诞生的年代，在马奈的作品里其实看不到太多印象派的美学风格。

印象派主张在户外画画，直接面对自然光。而马奈的画多在室内完成。

印象派认为自然光下并没有黑色存在，连阴影里也有色彩变化，不应该是黑色。马奈却深受西班牙十七世纪古典宫廷画派影响，常在画作里使用大量黑色。印象派喜欢使用的高明度色彩在马奈的画作里也不多见。

那么，为什么马奈会被称为印象派之父呢?

一八六三年马奈创作了一件裸女作品《奥林匹亚》（*Olympia*）。裸女作品在欧洲是艺术的主流传统，到卢浮宫看画，数百年来欧洲的绘画都是裸女主题。

裸女是希腊传统，维纳斯是女神，在海洋的波涛中诞生，全身赤裸，展现天神身体的完美无缺憾。

因此一直到十九世纪，欧洲画家都在画裸女，但是必须是女神，必须是维纳斯。

女神可以裸体，女人却不可以。

一直到威尼斯画派的提香（Tiziano），他很爱画裸女，他画的裸女大家都知道是某贵族或富商的情妇，或是城市的名妓，但是提香还是要把画作命名为维纳斯，表示他画的是女神，而不是女人。

提香画的最著名的《乌尔比诺的维纳斯》（*Venus of Urbino*），是第一张把维纳斯女神画在室内卧床上的裸女像，当时已经引起巨大非议。

一八六三年马奈画的《奥林匹亚》显然是受提香《乌尔比诺的维纳斯》的影响，也是一名裸女斜躺在床上，看着画面。

为什么这张画引起这么大的争议？为什么媒体以大量篇幅报道，以漫画来讽刺，认为是巴黎艺术界天大的丑闻（scandal）？为什么这张画在展出时甚至惊动了法国执政的拿破仑三世，也要到现场观看？所有媒体都在等待最高首领的御口金言，法国已经因为这幅画分为保守与开明两个壁垒分明的对立阵营。

皇帝的一句话，正是势均力敌的对立双方关心的最后一根可能压倒对方的稻草。

拿破仑三世必须表态，他是保守派拥护的皇帝，是法国大革命以后保皇党复辟的产物。

拿破仑三世在画作前说了一声：“可耻！”匆匆离开了。

保守派大乐，因为皇帝表态了。

然而年轻一代渴望改革、渴望共和、渴望开明、渴望人性解放的知识分子哗然了。

好像他们忽然借着这一事件看清楚了政权彻底无可救药的保守腐败。

重要的作家像左拉，像诗人波德莱尔（C. Baudelaire）都纷纷写文章称赞马奈的作品。

“马奈画出我们自己的时代”——反击的声音这样宣告。

是的，“奥林匹亚”不是“维纳斯”，她是巴黎当代的一名高级妓女。她的颈项上戴的丝绒项饰是当时女性最流行的饰品，她脚上的高跟拖鞋也一眼看得出来是流行的品牌。

裸女是赤裸的，但是她身上的几件饰物都标明了她的“时代性”。

“时代性”正是争议的本质，年轻的画家兴奋地围绕在马奈身边，尊称他为“父亲”（pére），因为他们长期以来在官方保守评审的把持下，没有机会入选国家沙龙，没有机会展出，他们必须组成落选展（Salon des Refuses），对抗霸道保守的国家美术机构，对抗数百年来一成不变的僵硬的美学学院传统。

借着一次惊世骇俗的丑闻事件，他们终于有机会宣告新的美学主张，他们要大声地说出来：“是的，这不是维纳斯，这就是当代的裸女。”

画里有当时巴黎贵妇都有的北非黑人外劳女仆，正在拿来爱慕者送上门的花束，这不是维纳斯，是新时代有血有肉的女性裸体。

“丑闻”使革新者聚集在一起，他们以马奈为中心，日日聚集在新开的咖啡店、啤酒屋，朗读攻击他们的媒体言论，朗读支持他们的评论文字，他们——包括印象派以后最主要的成员雷诺阿、巴齐耶、西斯莱、塞尚、德加、毕沙罗，当然，还包括了刚刚到巴黎的莫奈。

马奈的“丑闻”事件，终于使多年不断在国家美术沙龙评审中落选的画家有了抗争的中心凝聚力量。

“落选展”声势越来越大，逐步压倒“入选展”。莫奈的《日出印象》就是一八七四年“落选展”展出的作品，也被当时的保守媒体当作“丑闻”看待，然而“落选展”已经在民间有了基础，印象派于是成立，而这些多年围绕在马奈身边的年轻画家也自然习惯性地称他为“印象派之父”。

马奈有点像无意间被反对党捧起来的画派领袖，一直到一八七四年“印象派”正式成立，马奈才跟这些年轻辈画家出外写生，开始用印象派的外光技法作画。

草地野餐

莫奈最早在巴黎的画作，有好几幅都是以“草地野餐”为主题，看得出来明显受到马奈影响。

马奈在一八六五年展出了另一件备受争议的丑闻作品，题目就叫《草地上的午餐》（*Le dejeuner sur l'herbe*）。

这件作品也是马奈从古典名画转换而来的。画中有一名裸女，两名穿着现代服装的时髦男子坐在一旁，三人都看着画面，仿佛无视于世俗人的非议眼光。

保守派再度被激怒了，一名赤裸女子，如此肆无忌惮，与男子同坐在草地上午餐，毫无羞耻可言。

绘画的主题意识被挑战，古代传统绘画都是裸女，为何一到“当代”就被非议成“丑闻”？

马奈的这张画却使刚到巴黎不久的莫奈看到了他想要表现的主题了。

莫奈初到巴黎，正是马奈《草地上的午餐》引起“丑闻”事件的时刻，衣着入时的两名当代绅士为什么和一名全身赤裸的女子一起野餐？

巴黎工业化不久，大都会产生了，商业繁荣，现代科技改变交通工具、改变速度、改变距离、改变空间领域的大小，现代科技的照明使都会的夜晚如同白昼。机械的运用使人的劳动强度减低，不需要太多工作时间就可以取得生活温饱，生活的休闲方式因此改变了，城市多出很多游憩的公园、广场、河滨，提供给市民聚集游玩。

莫奈看到了巴黎，一个外省乡村居民无法感觉到的巴黎。

到处有可以坐下来休息聊天与朋友约会的咖啡馆（Cafe）、酒吧，人声喧闹的啤酒屋，歌舞炫目盈耳的红磨坊（Moulin rouge）一类的声色场所。

所有外省乡村来的年轻人都可能目迷五色的场所，一条路灯明亮的夜间大道，照着衣香鬓影的都会男女。

莫奈看到了，看到了工业化以后的“都会”，看到工业化以后中产阶级的生活，看到马奈成为“丑闻”的绘画主题，他相信，下一个时代，经由他的画笔，丑闻将一一成为新的“美学”。

马奈 草地上的午餐 1865

莫奈在一八六五年到一八六七年之间画了好几件巨幅作品，主题都是“草地野餐”。这些画作里，莫奈避开了马奈引起争议的尖锐道德议题，而以平实优美的画面抒写巴黎假日午后公园或户外森林里真实的度假游憩市民生活。

莫奈直接用马奈用过的题目“草地午餐”来创作的画作至少有两幅。

一件非常精彩的《草地午餐》，收藏在莫斯科普希金美术馆，画面是一大片森林，茂密高大的林木绿荫间筛下一点一点穿过树隙的阳光，莫奈开始观察光，观察树荫叶子间阳光微妙的变化。叶子在风中翻飞，树叶的影子投射在粗大树干上，莫奈用粗犷快速的笔触画下光的圆点。

林荫下铺了一张白色餐布，两名女子坐在餐布的边缘，铺开蓬蓬的裙裾花边。因为在树荫下，女子摘下了头上的宽边遮阳帽，放在裙子上。

白色餐布上放着各种午餐的食物，水果、糕点、红酒。莫奈呈现了十九世纪巴黎市民中产阶级户外度假野餐的生活美学。

树干旁斜躺着一名男子，穿白衬衫，黑色小背心，长裤皮靴，姿态慵懒闲适，脚旁卧着一只猎犬，男子的身体流露着城市市民忙中偷闲的自由与轻松。

画面中一共有五名男子、五名女子，年龄大多在三十岁以下，穿着入时的服装，在野地树荫下午餐，或坐或站，彼此交谈闲聊，摆脱了传统学院绘画人物所在历史框架的僵硬，摆脱了故作姿态的矫揉造作，莫奈以真实的方式反映了巴黎市民阶层假日的轻松自在。

这正是马奈“草地午餐”的主题，只是莫奈更彻底地与传统决裂了。他要描绘自己的时代，他要歌颂自己所在的城市，他要见证巴黎作为法国最繁荣都会的自信与骄

公园内 1865

93.5×69.5 厘米，美国华盛顿国家画廊藏。

莫奈画了许多公园游憩的写生，这张是完成巨幅作品之前的局部。

傲，他要真实记录自己的当代生活。

如同当时支持印象派的评论家反问保守派：“为什么我们的时代不比古代更美？”

莫奈看到光、追逐光、描绘光，但更重要的是他在户外的光里看到了一个新兴城市阶级的出现，年轻、自由、解放、优雅。他要讴歌这个美好的时代。

这幅画里可以看到莫奈在光的观察上下的功夫，尤其是白色餐布上反映出的树叶与阳光的色彩。但是千万不要只看到光，莫奈在这一系列主题里更关心着人物的生活方式，他要为一个全新的时代写历史了。

画面上的人物有许多考证，当时莫奈常邀集同画室的朋友一起出游写生。其中包括雷诺阿、西斯莱、巴齐耶、莫奈自己，和当时与他同居的爱人卡蜜儿（Camille Doncieux）。

画面最左侧站着的男子大概是巴齐耶，他的深色西服在右肩膀处有阳光的反光，反光是用蓝色画的，已经不同于传统学院一律用黑色处理阴影的技巧。

另一幅同一主题的画作收藏在巴黎奥赛美术馆。

这一幅《草地午餐》大概创作于一八六六年，画面比上一件明亮。铺在草地上白色的餐布上照映着大片阳光，与上一幅作品中被树荫遮蔽的视觉效果显然不同。可以看出来这一两年间莫奈在同一主题、同一场景、同一群人物中寻找着不同光线的变化。

画面中央圆点衣裙的女性正拿餐盘伸向前方，她的动作正好指示出餐布上最明亮的白色光线，用快速笔触记录，像是莫奈迫不及待要抓住瞬间的光。餐布上一堆水果像富裕悠闲生活的证明，使周遭人物生活的幸福愉悦之感洋溢在画面上。

坐在地上戴眼镜的男子一般认为是库尔贝，写实主义运动的健将，他也是长期以

草地午餐 1866

130 × 181 厘米，俄罗斯普希金美术馆藏。
初到巴黎，莫奈与朋友一起到公园野餐，他绘画出了最早的都会居民在假日的户外生活，幸福而且愉悦。

来对抗官方保守势力的革命领袖，莫奈初到巴黎已经明显选择了加入革新画派团体的立场，他来往的朋友全是艺术史上革新时代美学的人物。

这幅画面上显然还有其他人物，左侧站立的一位女子只剩下了裙裾一角，右边坐在草地上的女子也只剩下了裙边。

拿这幅画和收藏在普希金美术馆的一件同名之作比较，发现这两幅画原来应该是同样构图，但是奥赛美术馆的一张显然割裂过，构图已经不完整了。

初到巴黎的莫奈生活拮据，画卖不出去，没有足够收入，常常无法负担房租，因此以画作抵押给房东。房东没有好好收藏，把画布卷成一堆，堆放在通风不良的库房地窖中，画布受潮。等到莫奈成名，画作重新整理，多处都已发霉腐烂，奥赛美术馆有一批莫奈的早期画作都经过裁切，也都是同一时期遭受同一命运的画作。

像一幅窄长形式的画作，也是以草地午餐为主

草地午餐（局部） 1865

418×150 厘米，法国巴黎奥赛美术馆藏。

草地午餐 1866

248×217 厘米，私人收藏。

因为被堆放在库房中受损，莫奈早期的一些画作经割裂破坏，构图并不完整。

题，画面只剩下一名男子和两名背对画面的女子，比对一下，很容易发现是普希金美术馆那一幅《草地午餐》最左边裁切下来的一长条局部。

因此莫奈在一八六五年以后两三年以“草地午餐”为名创作的画作应该更多。

草地午餐的主题逐渐扩大成在公园森林度假休息的人物，奥赛美术馆一幅数名女性的画作《公园女子》（femmesaux jardin）展现了莫奈同一系列最精彩的阳光捕捉技巧。

这一幅画作最应该注意的是以阳光与阴影来作为画面构图的野心。一名撑洋伞的女子坐在草地上，手上捧着花束，低头看花。她的裙子在草地上铺开，裙子有一部分在阳光中，有一部分在阴影里。传统欧洲学院绘画，人物轮廓清晰，是构图重要的部分，然而莫奈看到的构图，不再是人物的轮廓，而是光与影的关系。

正在与卡蜜儿热恋的莫奈，在画中重复四次，画下了不同姿态的卡蜜儿。

这种新的构图法，在当时，在学院派看来，当然是离经叛道。然而莫奈的确实验出一种新的以光影为主题的绘画革命，画面借四名女性的静与动产生活泼的节奏感，色彩明亮鲜明，初到巴黎不久，莫奈已经独立形成了自己的画风。许多学者认为这幅画里的四名女性都是以卡蜜儿做模特儿画的，卡蜜儿为莫奈摆出了从静到动各种不同的姿态。

二十五岁的莫奈，有了他的第一位爱人——卡蜜儿，十八岁，美丽，家庭富有。她成为莫奈的模特儿，也是他的第一位伴侣，一八六七年他们有了第一个孩子。她在莫奈一系列《草地午餐》的画作中出现，在亮丽的阳光下成为他关注生命的焦点。

公园女子 1866—1867

255×205 厘米，法国巴黎奥赛美术馆藏。

卡蜜儿——莫奈的第一个女性

一八六二年莫奈到巴黎，进入格莱尔画室（Charles Glegre）。

格莱尔画室当时聚集了一批最优秀的画家，像不多久后在印象派美术运动中崭露头角的雷诺阿、西斯莱、巴齐耶。他们年龄相近，都是二十几岁的青年，对绘画充满热情。他们也大多是由外省刚到巴黎，对都会与工业现代化的一切充满好奇。他们也一样不满当时法国官方美术评审制度的迂腐保守，经常在落选后聚集在一起，批评评审制度。一八六五年以后更因为马奈的“丑闻”事件，使他们更有了凝聚力，经常请马奈到画室来看画，彼此切磋，也逐渐讨论出了新的美学观点，如何表现自己的时代，如何坚持户外画画，如何不用黑色等等，印象派的一些主要美学论点已经在画室中逐渐酝酿成功。

这时莫奈认识了十八岁的卡蜜儿，莫奈二十五岁，他们相差七岁。

绿裙女子 1866

231 × 151 厘米，德国不来梅美术馆藏。
卡蜜儿穿绿色条纹长裙，貂皮短外套，半侧身，为莫奈做绘画的模特儿。

年轻的卡蜜儿在画室担任模特儿，她不只在莫奈的画中不断出现，也在雷诺阿、塞尚和其他画家的画中出现，能够同时被如此多重量级的画家画过，卡蜜儿因此也成为那一时代被艺术史研究的人物。

不多久卡蜜儿热恋起当时经济条件困顿窘迫的年轻画家莫奈，充当莫奈的模特儿，也不时给莫奈财物上的帮助。

卡蜜儿因此在莫奈的早期画作中不断出现，直到一八七九年卡蜜儿逝世，莫奈还在卡蜜儿临终的病床前画了她的最后一张画像。

一八六六年的一幅《绿裙女子》（*la femme en robe verte*），是莫奈以卡蜜儿为模特儿画的全身像，从画中可以看出室内幽暗的光，这是一向以户外光绘画的莫奈少见的一件室内光作品。卡蜜儿侧身站立，微微转头向后看。上身穿深色短外套，裙裾下垂的丝缎上流动着华丽的绿色的光。

《绿裙女子》曾经参加法国国家沙龙展出，著名的作家左拉评论这件作品，认为是“冰冷而空洞的展场”中唯一使他瞩目的作品。左拉常常抨击当时的官方美术充斥着古代神话历史题材，复制抄袭古典，缺乏创意，缺乏对当代现代生活的反映。这件《绿裙女子》正是莫奈表现了当代人物，并且是他熟悉的爱人，画家处理自己亲密爱人的主题，表现生活的现实，因此被敏感的左拉感觉到了。

卡蜜儿在一八六七年跟莫奈生下第一个男孩让（Jean），但是他们一直到一八七〇年才正式登记结婚。双方的家庭对这一件婚事似乎都不支持，莫奈的母亲早逝，父亲不赞成他学画，希望他能继承家族经营杂货的生意。因此莫奈在巴黎学画的前几年完全没有家庭的经济援助，他的父亲摆明只要莫奈走绘画一途，就不给他钱。这个婚礼父亲没有参加，支持莫奈去巴黎学画的姑姑，也似乎不愿卷入家庭纠纷，同样没有出席婚礼。

卡蜜儿的父母对未来的女婿深感不安，担心女儿跟着这样一个三餐不继的落魄画家，会一生没有幸福保障。父母给了卡蜜儿一笔嫁妆，但要莫奈签署一份法律文件，指定这一笔钱是用来保障卡蜜儿的未来生活，莫奈不能私自动用。

莫奈把所有的钱都花在学画，买画布、颜料，租用画室上。他对生活不讲究、不关心，使卡蜜儿的父母大为担心，也为女儿受的委屈抱怨。

然而卡蜜儿似乎不在意莫奈的贫穷，她扮演着艺术家画里那个尽职的模特儿的角色，启发莫奈的灵感，依据莫奈的要求，穿不同服装，摆不同的姿势，在烈日下一站数小时，一动不动，让莫奈可以安心观察、画画。

把莫奈早期一系列以卡蜜儿为模特儿画下的作品排列起来，可以看到如此温驯笃定的爱情，提供自己的身体，提供自己的生命，让自己爱的人创作。

一般人容易看到夸张的艺术家对模特儿的浪漫爱情，然而，卡蜜儿却能让我们看到模特儿对画家的爱，安静深沉，不喧哗，不嚣张，充满内心的爱与包容。当然那已经不是模特儿对画家的爱，而是一个妻子对丈夫的爱，一种母性的宽容的爱。

前面提过的《公园女子》画面里四个不同动作的女性，学者一般都认为是卡蜜儿。卡蜜儿穿不同的衣服，做不同的姿态，坐着，站着，或动或静，配合莫奈的要求，在画里重复出现不同姿态。

也许今天的观赏者不能只是赞叹莫奈的画作的伟大了，卡蜜儿作为一名模特儿的尽职、敬业、认真与耐性，也都让人叹为观止。

春天 1872

50 × 65 厘米

雷诺阿画过一张卡蜜儿的画像，黑色长发盘在头上，卡蜜儿年轻美丽，穿着华丽的蓝色丝绸长袍，袍子上有精细的像是波斯或印度的绣花图案。卡蜜儿舒适地斜躺在长沙发上，后面靠着软垫，正在读报纸。

比较雷诺阿笔下的卡蜜儿与莫奈笔下的卡蜜儿，也许是一件有趣的事。

作为朋友，雷诺阿画出卡蜜儿闲适、优雅、美丽、雍容华贵的一面。

然而在莫奈的画里，总觉得卡蜜儿在做苦工，她努力做出各种姿势，以满足莫奈画画的需求。卡蜜儿不再是美丽的女子，她是妻子、母亲，是职业模特儿，是无怨无悔的“苦工”。

如果不是雷诺阿留下一张如此精彩的卡蜜儿画像，只从莫奈的作品中是看不到卡蜜儿的另一种美丽的。

当时画家流行搜集东方的服饰，特别是日本扇子、和服等等，莫奈有一幅画是让卡蜜儿穿上日本和服，手中拿着折扇，这幅画里，卡蜜儿不再是主角，她身上色彩艳丽的日本和服才是画家关心的主题。莫奈以极精密的技法和笔触画下和服上线绣的图案，有日本武士、花朵与飞鸟。连墙上一把一把的扇子都仔细描绘，而卡蜜儿手执折扇，转身回眸，也许只是莫奈要她做的一个动作。大概也可以想象，为了这一幅画卡蜜儿要站立多长时间。

莫奈与卡蜜儿一八七〇年结婚以后经历了一段非常辛苦的日子。他们双方的长辈都不赞成这个婚姻，经济来源被切断，房租常常付不出，靠借贷抵押维生。

最不幸的是在一八七五年前后，卡蜜儿被发现罹患骨盆癌，身体一日日衰弱下去，无法工作，夫妇二人度过了生命最艰难的时刻。

就在这几年，莫奈的创作突飞猛进，他创作了《日出印象》，捕捉黎明瞬间的光，大胆地用快速笔触创造印象式的描绘，颠覆了欧洲学院传统，建立了革命性的印象画派，影响了全世界的艺术发展。

然而他的画作还是不断被世俗保守势力批评，画也卖不出去。陷入生活低潮的莫奈经历着妻子重病与创作的备受责难，一个创造历史、改变历史的人物，却经历着现实生活最难堪的考验。

和服女子 1875—1876

231×142 厘米，美国麻省波士顿美术馆藏。
卡蜜儿穿上日本和服，手上拿着折扇，当莫奈的模特儿，让他以极精密的技法笔触画下和服上的线条。

一八七〇，莫奈在伦敦与荷兰

一八七〇年前后，莫奈常常沿着塞纳河写生。

一八六八年他画过一张卡蜜儿坐在河边的画作，塞纳河附近的森林、草地、树荫、沼泽，都成为他绘画的对象。尤其是水面的反光，更成为他画面关切的焦点。

一八七〇年以前莫奈关心的基本上是人物，像《草地午餐》《公园女子》这一类的画作都显现出他初到巴黎那几年对市民阶层生活的好奇。他也常常随好友雷诺阿、巴齐耶等人一起出游作画，享受巴黎交通的方便，公共游憩空间的宽阔舒适，都会人的富有、轻松、解放与自由。

卡蜜儿坐在塞纳河畔，画面上卡蜜儿是背面，她不是主角，主角是画面中央位置水面上的反光，房屋天空的倒影。

因此，逐渐地，我们发现莫奈的兴趣从人物转向了风景，转向了风景中更特定的主题——光。

莫奈曾经受布丹和戎金启发，在户外写生，观察自然光。但是一直到十九世纪七十年代他才真正把光作为绘画的主题。

欧洲美术史上最早表现光与工业的画家，可能是英国的透纳（J.M.W.Turner），他在十九世纪五十年代已经画出《雨·蒸汽·速度》这样前卫的画作，把现代火车向前疾驶中火车头喷出的蒸汽和伦敦的雨雾交错成画面上一片抽象的光。

因为工业革命的速度使人类的视觉经历了一种前所未有的光，一种朦胧的、轮廓不清晰的光，而这样的光也正是莫奈想要抓住的。这样的光不完全是自然光，有一部分来自工业化带来的速度感。我们在高速火车运行时看到的风景，不再是传统古典绘画里静定的、永恒不动的风景，而常常是一片一片向后快速流动的闪光，目不暇接，画面稍纵即逝，变成瞬间记忆的光，莫奈要挑战这样的光了。

回到一八七〇年，因为普鲁士发动普法战争，军队进攻到巴黎，拿破仑三世逃亡，法国群龙无首，莫奈也在这年九月避难到英国伦敦。

他在英国、荷兰的几个城市旅行，停留到一八七一年的五月才回法国。长达九个月的时间，莫奈在伦敦观看了英国风景画家透纳的作品，特别是透纳画里对抽象朦胧快笔触的光的捕捉、对现代机械工业的敏感，以及对速度的表现，给了他强烈印象。

他也在阿姆斯特丹看到了荷兰十七世纪画家伦勃朗的画，看到画里一种错综复杂的光，那光的迷离深沉，已不是物理现象，而毋宁更是一种心灵层次的颤动吧。莫奈记忆着这些光，记忆着光在不同时代的不同表现。

一八七〇年到一八七一年法国发生了翻天覆地的变化，莫奈避难到伦敦，转往荷

河边女子 1868

81.5 × 100.7 厘米，美国芝加哥艺术中心藏。

坐在河边沉思的卡蜜儿。莫奈开始观察水中倒映的天光云影。

兰，他的绘画生命也经历着同样翻天覆地的巨大改变。

一八七〇年九月的普法战争是法国历史上划时代的标志，法国战败，代表法国保守势力的皇帝拿破仑三世逃之夭夭，没有一点抗敌的能力，也没有一点政治人物的责任担当，一走了之，弃自己的国民于不顾。

普法战争爆发，保守势力失去民心，全盘瓦解，促使共和开明的民间力量迅速抬头。

美术界、文化界的革新力量长年受保守势力打压，也终于有了反击出头的机会。三年以后，从英国、荷兰回到巴黎的莫奈，以全新美学观念创作的《日出印象》震惊法国画坛，直接促成影响巨大的印象派诞生，都明显是保守势力一八七一年垮台以后的连锁效应。

其后的巴黎公社运动（Commune de Paris）更彻底摧毁瓦解了保守政权长久以来独断的稳固性。

一八七一年由于普鲁士占领巴黎，拿破仑三世逃亡出走，法国共和势力趁机鼓动组织民众成立社区自治的巴黎公社。巴黎公社以工人为主要成员，他们长时间受资本家政府剥削，在战争期间又饱受摧残屠杀。他们认为：无论法国还是普鲁士政府，都一样是高高在上的剥削者，都一样压迫工人。他们试图实践马克思哲学理念，走上街头，与政府军队对抗，靠自己的力量建立互助共存的公社组织。

一八七一年三月十八日至五月二十八日，巴黎公社占领了巴黎几个社区，禁止政府军队进入，形成无政府的自卫区域。这个充满梦想也充满实验性的工人社会革命没有成功，五月发生了政府军队的镇压，工人民众以石块面对国家机器的强势枪炮，抗争民众被残酷屠杀。至今巴黎还留有巴黎公社墙，作为政府军队屠杀民众的血腥历史的永远见证。

巴黎公社事件在文化界更是影响巨大，当时许多优秀的作家、画家、知识分子，都站在工人这一边，支持民众的抗争运动。像莫奈最好的朋友，一八七〇年为莫奈与卡蜜儿证婚的写实派大师库尔贝，就实际参加了街头运动，带领示威者，砸断了凡顿广场上被民众视为独裁者的拿破仑纪念铜柱雕像，库尔贝因此也遭政府逮捕，以后长年流亡瑞士。

莫奈当然也是共和党的支持者，痛恨保守势力，他在普法战争时逃亡伦敦，一直到一八七一年五月屠杀结束才重返法国，逃过一劫，然而他初到巴黎时最亲密的朋友巴齐耶却没有那么幸运，在这一次变乱中丧失了生命，使莫奈一生都感觉着永不能弥补的痛失良友的遗憾。

莫奈与巴齐耶

巴齐耶（Frederic Bazille，1841—1870）生长在法国南部蒙彼利埃（Montpellier），家庭富有，因为热爱绘画，希望父亲支持他到巴黎习画。家里对他画画也并不反对，但要求他必须以学医为专业，只能业余画画。因此他进入巴黎大学医学院学医，同时也进入格莱尔画室画画。

一八六二年，才二十刚出头的巴齐耶在格莱尔画室认识了雷诺阿、西斯莱，一同创作，不多久莫奈也到巴黎，在格莱尔画室就聚集了对艺术有共同热情梦想的一群年轻人。

巴齐耶比莫奈小一岁，与雷诺阿同岁，他们年龄相近，志趣相同，变成了非常亲密的朋友，常常一起出游写生，一起讨论画作，一起抨击官方美术学院派的迂腐保守，一起辩论新美术运动何去何从。

巴齐耶家庭富有，生性又大方慷慨，常常在物资上帮助穷困的画家朋友，也常常提供自己宽敞的画室给朋友使用或寄存画作。

一八七〇年巴齐耶创作了一幅以自己工作室为主题的画作，这幅画目前还收藏在巴黎奥赛美术馆，成为印象派画派历史里最早的一件有历史文件意义的画作。

当时巴齐耶的画室在巴黎康达明街九号。

巴齐耶记录了某一天莫奈、西斯莱、雷诺阿都聚集在他的画室。他们请来被尊称为“父亲”的马奈看画。

画里马奈右手拿着手杖，站在画架前，正在仔细端详一幅作品。靠在画架旁边侧身高个子的男性就是巴齐耶，手中还拿着调色盘，也许马奈正在讨论他的画作，所以他停下画笔，特别认真地在听马奈的意见。

站在马奈身后穿条纹长裤的男子就是莫奈，也似乎正在参与讨论对画作的看法。

西斯莱和雷诺阿在楼梯旁聊天（也有人认为其中之一是文学家左拉），画室后方墙角有一名男子在弹钢琴，他是著名学者艾德蒙。

这幅画作最珍贵的地方在墙上悬挂的画作，其中已被辨认出来的有雷诺阿的画，也有莫奈的画。

巴齐耶提供了他的画室给经济条件不好的朋友使用，他们共同在为一个新画派的出现努力，他们也无私地彼此帮助，彼此切磋、鼓励，这是印象派产生以前隐藏在历史背后的一件可贵作品。

很可惜，才二十九岁、充满才气与热情的巴齐耶，在画完这幅杰作后不久，因为普法战争被征调上了前线，在一次战役中阵亡了。

四年以后，因为莫奈的《日出印象》，诞生了近代影响世界画坛的印象派。然而印象派成立之初最重要的成员之一——巴齐耶已经永远缺席了。

印象派的画家纷纷成名之后，共同最怀念的朋友就是巴齐耶，而这幅留有马奈、莫奈、西斯莱、雷诺阿身影的画作也成为艺术史上永远的纪念。

莫奈在巴齐耶的画中出现，巴齐耶也重复在莫奈《草地午餐》一系列作品中出现，见证了他们的相互影响，也见证了他们的友谊。

马奈 在船上写生的莫奈

1874，82.5×100.5 厘米

一八七二，《日出印象》

一八七一年莫奈从英国、荷兰一路游历回到法国，这一年十一月他定居在哈佛港，在这个塞纳河的河口港湾一直住到一八七八年。哈佛港的风景对他产生了具体的影响，包括他一八七二年创作的《日出印象》，也是以哈佛港为背景。

哈佛港在巴黎西北边，是风景优美的地方。在法国，巴黎最早有了火车，巴黎市民可以从圣拉扎尔（Saint Lazare）火车站方便地乘火车到达这里。

哈佛港与巴黎的关系，很像淡水与台北的关系，都是河流出海口，都离大都会不远，都有现代化火车可以方便到达，哈佛港聚集了印象派画家，淡水也是日据时代到光复初期台湾地区印象主义画家最爱写生的地方，陈澄波、杨三郎、廖继春的画作里都常常看到淡水，如同马奈、莫奈、雷诺阿、西斯莱等印象派画家的画中也总是看到哈佛港的风景。

哈佛港一到假日就都是坐火车从巴黎来度假的游客，他们在这里散步、戏水、游泳、玩风帆船，形成有趣而活泼的欢乐画面。

莫奈常常来往于巴黎和哈佛港之间，圣拉扎尔火车站也变成他经常出入的地方。他感觉到现代工业对生活的改变，一种因为工业而改变的速度感、空间感，让莫奈的视觉体验着完全不同的感受。

他感觉到光的跳跃，感觉到光的闪烁，感觉到光无所不在的力量，感觉到光的不可捉摸，感觉都会市民度假时视觉的愉悦兴奋与脸上洋溢的光。

他感觉到的光其实不只是自然光，而更接近透纳在《雨・蒸汽・速度》这幅画里表现的光,他试图更积极地表现与工业革命的速度感、空间感有关的心理层面的光——光是视觉的迷离，但是，光同时也是心理上的感官记忆。

他在哈佛港的河口边，架起画架，从黑夜的尽头开始等待，等待黎明，等待破晓，等待黑暗中一点点微微的光亮起来，是自然宇宙间的黎明日出之光，然而也是一个工业革命初期期待全新美学革命的青年画家的兴奋、好奇与狂喜。

现在收藏在巴黎玛摩丹美术馆（Marmottan）的《日出印象》是莫奈在哈佛港的一页黎明日记。

他也许没有想到这将是一件划时代的伟大巨作，他也许没有想到这张画将为一个艺术史上最重要的画派命名。

站在黎明前的哈佛港边，看到港湾里的船只，看到港湾码头一些起重的工程吊具，他全神贯注，等待水面上第一道日出的光，凝视那一道光拉长，闪烁，在水波上颤动，他拿起画笔快速在画布上记录着，不断凝视，不断记录，每一次记录完，抬起头再看那一道光，光的色彩、色温、强度、位置，又都改变了。

莫奈“顽固”地记录着，他坚决要画下日出每一秒钟的变化，他要抓住日出每一秒钟光的瞬间变化。

但是当一轮红日高高升起，一身是汗的莫奈或许觉得无力而沮丧，因为他彻底发现日出之光是无法复制的。

所有传统学院绘画处理的日出其实都只是谎言，“日出”根本是画不出来的。

莫奈看着自己实验的手稿，匆促的笔触，模糊不确定的色彩，朦胧的光，一点都不清晰的物体轮廓，然而这的确是他看到的日出之光，是他完完整整面对日出记录下来的“印象”。

他想大胆地把这幅实验性的手稿送到法国国家官方美术沙龙参加比赛，他知道，这将是一颗多么大的震撼弹，他知道这将引起保守的学院派多么大的反击、诬蔑与嘲讽。但是他不在意了，有过与真正日出最真实的对话，他自信一切误解与批判的后果自己都可以承担。

日出印象 1872

48×63 厘米，法国巴黎玛摩丹美术馆藏。
莫奈为“印象派”命名的历史杰作《日出印象》。

一八七四年《日出印象》参加了比赛，当然落选，这幅画又在“落选展”展出，被众人当话柄嘲笑，然后保守派的媒体评论家勒罗伊（L. Leroy）撰文大肆讽刺，侮辱称一个年轻画家不认真学习古典技巧，只会胡乱涂抹印象。

莫奈的画作名称被拿来做嘲讽侮辱的标题，刊登在报纸上。

报纸传到一群年轻艺术家手中，他们聚集在一起，朗读这篇措辞恶毒的文章，公开宣称与官方沙龙美展的决裂，他们说：“我们就是要走向户外、走向光、走向现代，我们就是——印象派。”

一个被敌人用来攻击的词语反而变成了新美学的历史名称。

长期在法国官方沙龙落选、备受打击的青年画家，终于有了为自己团体命名的自信与勇气。

一八七五，哈佛港与阿让特港

一八七四年显然是一个重要的分水岭，“印象主义”这个新美学的名称因为莫奈的一张画正式成立了。

莫奈和几位长时间为美学革命努力的画家都异常兴奋，他们有了更确定的努力目标，相约在户外写生，使用高明度的色彩，用快速的笔触捕捉稍纵即逝的光，他们常常聚集在哈佛港或是阿让特港，一起写生，连马奈也参加了，学习尝试用年轻印象派的画法创作。

“印象派”真正变成了一个团体，以莫奈为中心活跃了起来。

一八七四年以后，莫奈显然用更大胆也更随意即兴的方式书写起阿让特港的天光云影，阿让特港有现代钢梁结构的大桥，游客在桥上游玩，浏览风景，莫奈画天空的云朵，一朵一朵白云，画笔快速随兴扫过，笔触自由活泼，倒映在水波中的天光也一样跳跃流动，荡漾着港湾中的船只。阿让特港一切工业革命后的生命力都借着光的主题在莫奈的画中像一朵花一般绽放了。

为了更亲近水，更贴近水面，更接近水的反光，观察更细微水光的变化，莫奈把一艘船改装成浮在水面的画室，在船舟画室中工作。小小的船，莫奈在船舱中，船随水流动，画家可以不断改变位置、角度，甚至可以感觉水波荡漾起伏的律动。

阿让特港的海边 1872

阿让特港的帆船 1874，60×81 厘米

莫奈不只是用视觉画画，他也在画里放进了身体的触觉感受。

如果《日出印象》这幅画为新的美学团体命名，为新的美学主义命名，历史上有了“印象派”，也有了“印象主义”，那么，应该记得，诞生《日出印象》的摇篮就在哈佛港。

印象派初期的画家大多都到过哈佛港，也都留下了在这里画的风景画。大部分画家，即使流派不同，但是受哈佛港的风景启发，画面都容易出现天光云影相辉映的印象派风格。

一个美丽的海河交界的风景小镇，受到工业革命冲击，涌来都会的时髦男女，一种新时代的欢欣兴奋融入自然的天光云影之间，交错成美学上印象主义的独特画风，直到今天，许多西方人士为了解印象派画作，除了看美术馆的画，也大多会去一次哈佛港实际印证自然风景对一个画派创作者的影响。

在哈佛港港湾，黎明破晓之际，至今还常有外地观光客或中学老师带着学生，等待水面红日初升，等待一百多年前莫奈感动到的那一次日出，《日出印象》使哈佛港有了文化和美学上永恒的记忆。

阿让特港的赛艇会 1874，59×99 厘米

阿让特港的赛艇会 1874，60×100 厘米

阿让特港的铁路桥（之一）

1874，60×99 厘米

阿让特港的铁路桥（之二）

1874，54.3×73.3 厘米

翁弗勒尔的港口 1874，60.3×101.9 厘米

光的跳跃

一八七五年前后，莫奈对光的处理有了更大胆的尝试。

他在阿让特港，对河港风景的描绘愈加完整准确。

一八七五年一幅《阿让特港》风景画，目前收藏在巴黎橘园美术馆（Musee de l'Orangerie），曾经于千禧年在台北美术馆展出。从这幅画可以明显看出在一八七四年印象派诞生后，莫奈持续在港湾对风景的观察。

印象派画家一直相信光与色彩的互动关系，是因为光，色彩才有了变化；同样的水波，因为光线的介入，就会产生层次复杂的色温变化。

印象派不只是研究光，更使光在色彩里产生更细致微妙的视觉体验。

因此他们坚持走到户外，感受大自然云影变化中的色彩，让自己的视觉经历以前

水面画室 1879

72×59.8 厘米，美国宾州巴恩斯基金会藏。
为了观察水光的反映，莫奈以船屋为画室。

传统学院美术未曾经历过的挑战。

大自然的光，特别是水的反光，常常是光与色彩交错最复杂多变的领域。莫奈长时间停留在阿让特港，长时间在船屋画室中工作，正是为了要贴近水面观察光与色彩瞬息万变的微妙层次效果。

这幅作品以水平面分隔画面，上面二分之一是天空。天空上飘浮一朵朵白云，云朵愈下方愈小，使天空显得特别高旷深远。

画面中央是笔直矗立的白色风帆的桅杆，白色的平行垂直线使莫奈的画产生一种安静理性的结构秩序，与他试图捕捉日出瞬间视觉体验的快速感的匆促笔触不同。这幅阿让特港的风景显现了印象派事件喧腾过后，莫奈并没有被喧嚣的舆论干扰，反而以更冷静的姿态面对自己的创作。

画面上轮廓分明的帆船结构清晰，使一向在光的追寻里常常过度感官兴奋的莫奈展现了不同的理性风貌。

船只的红砖色和水面的翠绿相辉映，可以看到在对光的追寻里，色彩仍然对莫奈如此重要，色彩有了光的照映，更为扑朔迷离。

阿让特港 1875

56×67 厘米，法国巴黎橘园美术馆藏。

阿让特港是巴黎火车最早抵达的河口港湾，成为巴黎人度假的热门景点，也成为印象派画家聚集写生的地方。

午餐 1872—1873

160 × 201 厘米，法国巴黎奥赛美术馆藏。

莫奈开始以光作为画面构图的新思考，进行美术史上重大的革命。

红砖色的船倒映在绿色水波中，红绿呼应，打破了传统绘画不太敢用的色彩对比，使画面产生明亮艳丽的夏日感觉。水波间有很细微的笔触画出的天空白云的倒影，和他最初到哈佛港时的笔触比较，莫奈安静内敛了很多。他似乎没有眩惑于印象派的诞生，以及自己成为媒体讨论焦点的兴奋。莫奈专注于自己的创作，更深沉地看风景里的光与色彩，更冷静地分析结构与空间，他真正的狂喜与快乐永远来自绘画创作本身，而不是外在的赞美或批评。

岸上有人正在准备登上码头上船，巴黎都会度假人士的主题仍然贯穿莫奈的画作。

一个画家的视觉一旦被光吸引了，物体的轮廓就会被光的区域改变：传统欧洲学院的训练大多是对物体轮廓的注意，光的明暗事实上是依据物体的轮廓在铺排。但是画家一旦走向室外，户外大自然的光并不完全依据物体而存在，最明显的是天空或水面的光，常常变幻莫测，对画家的视觉也是最大的挑战。

住在哈佛港的时候，莫奈对自然光的实验明显背离了传统学院的训练。他有意使传统绘画以人物为主体的轮廓在光的实验里完全瓦解。

一八七三年左右一件看起来平凡的生活写实小品，以午餐为名，可能是因为天气特别好，一家人在户外午餐，庭院花圃中盛放着一簇一簇的花。近景主题是一张餐桌，铺着白色餐布。桌上放置着水果盘、银质水壶、玻璃杯等餐具，一边的托盘里有面包、红酒杯。

当我们的视觉忽然发现桌子一边的草地上坐着一个小男孩时，我们可能有点讶异，因为画家其实并没有特别突显这个人物。

因为光照亮着白色的桌布，桌子变成绘画的主题，被阳光照亮的庭院也可能是绘画主题，然而画面的人物都不是视觉焦点，特别是这个小男孩，因为坐在树荫阴影暗处，身上只有小片圆点的树隙反光，大部分轮廓并不清楚。

莫奈显然在这张画里做了视觉革命，他把欧洲绘画一直作为主体焦点的人物放置在风景里，与风景平等对待。有点像中国十世纪末的绘画做法，“寸人豆马”，人物只是浩大的山水里一种渺小的存在而已。在东方的哲学里，人与自然一直有一种天人合一的平等关系，人并不是征服自然的英雄。

西方绘画里的拿破仑征服阿尔卑斯山，人画得比山大很多。

西方一直到印象派画家出现，才重新调整人在自然里的主体性地位，但是，他们不是把人物缩小，而是用光的明暗重新安排画面，自然光并不以人为主体，在阴影中的人物也不能比其他在光亮中的物体重要。

在这一幅画里，银质水壶、白色桌布、水果，都可能在视觉上比人物更重要。

这是莫奈以及欧洲印象派绘画一个重要的哲学本质的改变。

在阿让特港散步

1875，60×61 厘米

大雪中行驶的火车

1875，59×78 厘米

圣丹尼阿让特港大街

1875

光与卡蜜儿

一八七五年莫奈以卡蜜儿为主题画了好几张个人肖像画，他让卡蜜儿穿起日本和服，手拿折扇，摆出日本艺妓的姿态。

卡蜜儿成为莫奈的爱人已经超过十年，他们第一个孩子生于一八六七年，已经八岁，他们正式登记结婚已经五年。

一八七五年卡蜜儿检查出罹患绝症，身体明显衰弱下来。这一年莫奈画下了卡蜜儿在家中做针线的一张肖像。

这件小小的作品很不同于莫奈同一时期的画作。卡蜜儿坐在室内一角，对着窗口阳光做针线。一个相爱相处了十年的女人，成为妻子，成为母亲，在莫奈的笔下可能已经不再是当初那个娇美艳丽的模特儿。一个女性，有了妻子与母亲的身份，似乎原始女性如花绽放一般的诱惑华美消失了一些，却又生长出一些如同果实一般安静饱满的神情。

莫奈处理这一幅画作时也似乎不再是一个知名画家，拥有印象派命名者的头衔，而是回来扮演一个忠实丈夫与父亲的朴实角色。

光的跳跃不见了，莫奈坐在卡蜜儿旁边，认真看妻子做针线，看窗外的光透过纱帘树荫在室内流动，室内幽静隐约的光线，照亮卡蜜儿的脸孔，照亮她衣服长袍上织绣的图案。

不知道莫奈在得知卡蜜儿罹患重病后的心情如何，这一件小小作品却使人沉思起那艰难的一年—— 一八七五——对两个人都特别艰难的一年。

这一年莫奈还是留下了不少以卡蜜儿为主题的作品，特别是撑着洋伞站立在草坡上的卡蜜儿肖像。

也许不应该用“肖像”来称呼这一系列作品，因为在奥赛美术馆面对好几幅同一主题的画作，我们知道画中的人物有的是卡蜜儿，有的是一八八六年卡蜜儿逝世以后莫奈以继女苏

做针线的卡蜜儿 1875

65.3×55.6 厘米，美国宾州巴恩斯基金会藏。
成为“莫奈夫人”的卡蜜儿在窗边做针线活，
一代风华的模特儿升华出“母亲”的安静饱满。

珊(Susanne Hoschedé Monet)为模特儿画的。这两个人都撑着洋伞，在阳光下站立着，更换着不同的角度。

我们不禁会发问：卡蜜儿或苏珊在烈日阳光下站了多久？莫奈要求卡蜜儿或苏珊变换了多少次姿势？

无论是卡蜜儿或苏珊，在这一系列作品中都不再是一个被关心的主题，如同这一段时期，莫奈所有画里的人物或许都只是他用来观察光与色彩的媒介而已。

他看得见卡蜜儿吗？

或者他只是看到阳光的跳跃，看到伞布上端与下端的明暗对比，看到风吹起的纱巾与衣裙下摆裙裾里透明的光，光在跳跃，在云端，在草坡上，在发上，在风里，一瞬间一瞬间的光，令莫奈迫不及待，快速地用画笔捕捉着。他不知道卡蜜儿（或苏珊）站了多久，他忘了她们变换了多少次姿势，他看不到人物，他只看到一片一片的光，如此华丽，如此闪烁，如同神迹，如同不可思议的宇宙最本质的奥秘。

莫奈要为瞬间的光留下肖像，每一个短暂的瞬间，他或许忽然想到站在面前的女子也只是短暂的光，如梦幻泡影，如露亦如电，都只是无法把握的一瞬间的光。

我特别喜欢莫奈一八七五年最早的一幅《撑洋伞的女人》。画里的卡蜜儿姿态不太僵硬，在云天的背景里一转身，一回眸，风吹着草，吹着云，仿佛即刻也要在风中吹散卡蜜儿，整个人像要幻化而去，令人无限感伤。旁边是莫奈与卡蜜儿八岁的儿子让，这是画家对一个自己深爱的人的最后一瞥吗？

持伞的卡蜜儿 1875

100 × 81 厘米，美国华盛顿国家画廊藏。

一八七五年卡蜜儿得知罹患绝症，莫奈画下了风云变幻中仿佛即将消逝的卡蜜儿。

持伞的苏珊 1886

131×88 厘米，法国巴黎奥赛美术馆藏。
莫奈的继女苏珊接续成为撑伞的模特儿。

也许不是，卡蜜儿还有四年的时间，她的身体饱受折磨，而那折磨也是莫奈一起要做的功课，他想要留下每一瞬间的光，然而光一直在消失，从来不会为他的惋惜哀伤停留。

一八七八年，卡蜜儿生下第二个孩子，这一次生产更加重了她的病情，终于在一八七九年逃不过病魔死神的手掌，卡蜜儿要在光里消逝了。

一八八六年，在卡蜜儿逝世七年以后，莫奈以继女苏珊为模特儿，用同样场景，同样姿态，连色彩与光都几乎一样，重复画了一系列《撑洋伞的女人》。

莫奈在怀念什么吗？他刻意重新安排的同一名字、同一主题、同一形式的绘画，深藏着他对逝去的光、逝去的岁月、逝去的人物刻骨铭心的记忆吗？

一八七七，圣拉扎尔火车站

住在哈佛港的七八年间，莫奈必须常常坐火车来往于巴黎和河港之间。

巴黎的圣拉扎尔火车站就成为他经常出入的地方。在等待火车进站和到达车站时，他都被巨大的火车声音震撼着。

火车车轮在铁轨上与钢铁摩擦发出的尖锐声音，轰隆轰隆有节奏的车轮滚动的声音。特别是火车启动前常常发出的高亢的汽笛声响，以及火车头喷出的浓烟，蒸汽引擎发动时的震动声响，这一切都成为他身体的记忆。不只是视觉记忆，也是身体触觉里机械的震动，嗅觉里的机油混合着煤烟的气味，皮肤上的热，听觉上的引擎发动的亢奋与快乐。

曾经在大自然日出前感觉到光时兴奋的莫奈，在火车站感觉着另外一种完全不同的感官上的兴奋，一种来自于工业机械进步时代的感官快乐。

圣拉扎尔火车站 1877

75 × 100 厘米，法国巴黎奥赛美术馆藏。

莫奈从不同角度描绘圣拉扎尔火车站，经过不断调整，从原来偏斜的角度，最后找到中央矗立尖顶的构图。

他画下了七幅圣拉扎尔火车站，我们看一下奥赛美术馆中最著名的一幅。一八三二年巴黎有了火车，出现了很多用现代钢铁结构建筑起来的火车站。火车站忽然变成一个城市重要的地标，在这个巨大的空间里，人来人往，熙熙攘攘，人们在这里相会或告别，出发或归来，火车站变成十九世纪工业革命产生的一个很特殊的人文空间。

相见与告别的月台，留下许许多多人的记忆，生离死别的记忆，不再是传统文学艺术里跟马车轮船的缓慢关系，生离死别，混合着火车站的煤烟气味，混合着蒸汽机喷发汽笛的声音，混合着钢铁铁轨嘎吱嘎吱的节奏，混合着高高的钢梁建筑里乌烟瘴气的现代机械的气味与声音，而这一切都是十九世纪以前人类没有经历过的感官记忆。

莫奈描绘着，记录着，感受着，他要在绘画里书写出他自己的时代，他要感觉自己的时代，表现自己的时代。莫奈从不同角度描绘圣拉扎尔火车站，经过不断调整，从原来偏斜的角度，最后找到中央矗立尖顶的构图。

我们发现这幅火车站里，莫奈在用处理教堂的类似方式画火车站。教堂，有高高的尖顶，教堂是神的殿堂，教堂供信徒膜拜，是神圣崇高圣洁的地方。对莫奈而言，他和众人不断出入的火车站，记忆着多少人的相见与告别，记忆着多少相见时的拥抱与欢欣，也记忆着多少人告别时的哭泣与哀伤。

工业革命以后的城市火车站不是如同传统的教堂一样神圣而崇高吗？也许在这一个时代去绘画火车站是被人耻笑的事吧，不是更应该去描绘古老教堂的神圣崇高吗？

莫奈不会觉得在他的时代教堂一定比火车站美。带着众人共同记忆的空间才有美学思考的可能。

莫奈一次又一次地画着火车站，画着他自己时代的美学地标。

他画着火车喷发黑烟的一刻，火车汽笛长鸣，相见与离别的时刻，莫奈确定这才是他要画的，是他自己时代的记忆，是他自己时代的感受，如此真实，如此兴奋。莫奈长时间画着火车的出发，也跟车站职员熟悉了，站长为他多添一些煤，多拉长汽笛鸣叫，让火车头进出多次，让莫奈感受现代工业科技带来的浓烟与噪声。

也许我们在后工业的时代，对浓烟噪声都避之唯恐不及，但是莫奈面对着工业革命的初期，他在浓烟与噪声里感觉到的是感官的亢奋。

这幅杰作说明了印象派一代与工业革命密切的关系，印象派绝不只是自然光的追寻者，他们其实是更迷恋工业、都会、现代科技的一代。

一八七八年莫奈离开哈佛港，回到巴黎，或许是因为卡蜜儿的身体已经极其衰弱，需要更好的医疗。

缠绵病榻多年，卡蜜儿终于敌不过死神的召唤了。

圣拉扎尔火车站：火车进站

1877，80.3×98.1 厘米

卡蜜儿之死

一八七九年九月二日，卡蜜儿在临终的病床上，莫奈画下了他一生最动人的一件作品——《卡蜜儿之死》。这幅画很小，目前收藏在巴黎奥赛美术馆。迷恋于莫奈伟大的艺术创作的游客或许不会特别发现这幅作品，寻找莫奈印象派光的绚丽的游客也可能不会注意到这件作品，然而它如此安静平实，如此没有一点矫情地述说着一个人的死亡，一个自己深深爱过的女子的死亡。

卡蜜儿躺在病床上，被许多被单头巾包裹着，身体在这些布匹的包裹下显得单薄虚弱，仿佛她也只剩下一张单薄的肉体，单薄如同布匹，随时可以掀去就不见了。

莫奈凝视着这张脸，很深的一种凝视。仿佛要用这样的凝视唤醒卡蜜儿，唤醒一个即将死亡的生命。

莫奈拿出画笔，拿出画布，挤出油彩，开始画画，画下卡蜜儿最后的面容，画下那脸孔上一直在消逝的光，画下他自己深深的凝视，仿佛要在来世还要相认的凝视。

这幅画里没有什么色彩，只是一种近于灰色的淡紫蓝，一种光，一种光的消逝，像落日余晖最后留在天空的灰紫色的云，是死亡的光与色彩。

一生要在画布上留住光、记录光、描写光、感觉光的画家，最终发现在自己最亲密的人的脸上还是无法挽回那光的消逝，他一直凝视着，凝视着那最后一抹光在卡蜜儿脸上消逝，他终于领悟体会到光原来就是生命，而他一生对光的迷恋追求，原来也只是对生命的迷恋追求。

一八七九年九月二日莫奈创作了这件最私密的画，也做完了他与卡蜜儿最后最艰难的一页功课。

这幅画留在美术馆一个不起眼的角落，常被热爱印象派绚丽华美之光的观光客忽略，然而莫奈在这幅画里用了最大的努力，想要留住光，一点一点正在消逝的生命之光。

卡蜜儿之死 1879

90×68 厘米，法国巴黎奥赛美术馆藏。
一八七九年九月二日在卡蜜儿临终的病床前，莫奈画下了爱人最后的容颜。

一八七八，莫奈与世界博览会

莫奈基本上是一个生性乐观的人，即使在卡蜜儿身体罹患重病，莫奈照顾着两个幼儿，生活依然窘困的一八七八年，他的许多作品仍然充满欢乐与希望，朝气蓬勃，尤其是这一件《六月三十日蒙托哥街》。

蒙托哥街（Rue Montorgueil）在巴黎市中心，接近最热闹的市集。这一带曾经是巴黎最早的证券市场期货交换的金融中心，十九世纪以来就是都会巴黎最繁华的地带。目前经过整修改建，一九七六年在这个地区修建了蓬皮杜艺术中心，仍然是巴黎人最常游逛的人潮汹涌的地区。

十九世纪中期欧洲列强在亚洲、非洲都拥有殖民地，希望展示交换各地商品，作经济与文化的跨国交流，因此有了举办世界博览会的念头。

第一次世博会于一八五一年在英国伦敦举行，由维多利亚女王的丈夫亲自主持。

接下来，巴黎也举办了好几次世界博览会。

整个十九世纪至二十世纪，大多由欧美几大列强在轮流主导世界博览会。亚洲第一个主办世博会的国家是日本，时间已经晚到一九七〇年。

欧美列强借世博会宣告自己国力的强盛，炫耀国家政治、军事、经济、科技的实力，因此常常在会场悬挂国旗，举办大型活动，造成热闹的声势。

莫奈这一件作品画的正是一八七八年巴黎世博会在六月三十日结束时一场盛大庆典的场面。

世界博览会虽然是列强主导炫耀国力的竞技场，但是的确对艺术文化的交流产生了巨大而且意料不到的影响。

十九世纪中期以后，巴黎的几次世博会，日本馆、泰国馆、印度尼西亚馆，都让法国的艺术家倍感惊艳。

从政治经济科技的角度来看，亚洲、非洲的这些国家，在当时欧洲人的观念中根本是落后地区。

亚洲、非洲、南美洲大部分地区，当时是主导世博会的英国、法国的殖民地。英法联军正在攻占北京，掠夺土地金钱，焚毁圆明园，烧杀掳掠，也不会把东方文化看在眼里。

但是法国的知识分子却在这种充满偏见歧视的野蛮掠夺中有深刻反省。

印象派的画家正是通过世博会认识了古老的东方文化与艺术。

六月三十日蒙托哥街 1878

76×52 厘米，法国鲁昂艺术博物馆藏。

世界博览会的庆典。莫奈画下了巴黎街头热闹喧腾的旗海。

十九世纪六十年代开始，巴黎才刚刚举办世博会不久，在马奈的画里就看到许多日本扇子，中国屏风、瓷器成为人物背景，来台湾地区展出过的马奈一八六八年画的《左拉像》，背景部分就有中国花鸟屏风和日本浮世绘人物像，说明法国画家对东方事物已经有了好奇与兴趣。

莫奈对东方事物的兴趣，也在他的画作中一再表现出来。

一八七五年莫奈曾经让卡蜜儿穿上日本和服，手拿折扇，画了一幅著名的肖像画。在莫奈的画中，东方事物已经不再只是背景，而是他真正关切的绘画主题。在卡蜜儿穿着的日本和服上绣织的花鸟图案和武士头像都一一被莫奈精细描写。

莫奈在一八八三年购买了吉维尼（Giverny）一块土地，开始经营著名的“莫奈花园”，花园的中心主题就是莫奈从一幅浮世绘版画中认识的“日本桥”。莫奈亲自设计仿制了一个他心目中的日本拱桥，拱桥下遍植睡莲的莲花池，池塘四周的垂柳，整个园林的美学正是莫奈心目中向往的东方风景。

莫奈不只在绘画里处理和服、折扇、浮世绘等东方事物，他同时也在生活里营造了一个充满东方情调的园林，正是那一代法国许多知识分子艺术家通过世博会反映出来的对遥远东方的兴趣。

十九世纪八十年代，梵高也是通过世博会对日本浮世绘产生了兴趣，收藏浮世绘，仿制浮世绘，东方美学透过世界博览会在新一代文化人身上发生了重大的影响。

因此一八七八年的巴黎世博会也是莫奈兴奋的事，尤其是世博会结束那一天，六月三十日，整个蒙托哥街悬挂着法国国旗。

一条窄长的街道，两边挂满了红、白、蓝三色的国旗，高高低低的旗帜，在风中飘扬翻飞。莫奈用快速急促的笔触捕捉旗帜飞扬的感觉，那是传统学院绘画绝不敢用的笔触，大胆粗犷率性，抓住实时当下的瞬间，完全不管细节的修饰，大气浑成，使整张画洋溢着节庆愉悦、欢乐，喧腾着幸福情绪的感觉。

莫奈彻底摆脱学院训练的保守，摆脱古典素描的僵硬限制，让笔触和色彩跳跃起来，让笔触与色彩在画面上变成真正的主题，像音乐的旋律，摆脱歌词的拘束，直接打动人们的感官。

熙来攘往的人潮在旗帜飞扬下摩肩接踵，上方是一角蓝天。六月三十日参加世博会闭幕的人潮如此汹涌，然而莫奈抓住的是整体的印象，他不是拘泥在记录事件细节，他勾画出一个历史时刻真实感官情绪的高昂饱满。

这是真正的印象派了，成熟而准确地记录他的时代印象，而传统保守的学院美术这时还无视于世界、无视于当代，当然更无视于东方。

新起的印象派在莫奈这一类的大胆创作里，不多久就远远超过了抱着传统僵死格局不放的学院美术了。

爱丽丝——莫奈的第二个女性

莫奈一八七五年得知卡蜜儿罹患绝症，一八七六年他有机会认识了大百货公司的富商贺希德（Ernst Hoschedé，1837-1891）。贺希德经营百货业，但是对艺术非常有兴趣，尤其支持刚刚崭露头角的印象派画家。

事实上，一八七四年以后虽然印象派已经成立，但还在争议中，保守的势力还是不接受激进的前卫画派。

绘画市场已经形成，许多富商资本家也开始投资艺术品，但是投资还是为了保值获利，因此大多也只愿意投资学院古典的作品，市场上卖得好的还是不危险、没有争议的画家作品，莫奈一类印象派创作者的画大多卖不出去，生活依然很窘困。

贺希德愿意经纪莫奈的画作，莫奈当然很感激，尤其是卡蜜儿重病，幼子需要照顾，这时有人伸出援手，对莫奈是莫大的帮助。

一八七六年贺希德买了许多莫奈画作，在他经营的卢腾堡沙龙展出（Salon de chateau Rottenberg），多年的用功，多年的坚持，莫奈终于像是熬出了头，有了支持他的富有业主。

非常不幸，贺希德在一八七七年因为百货公司经营不善破产，不但不能继续支持莫奈的创作，他自己也一度为逃避诉讼和债主而逃亡到比利时。

一八七八年失去丈夫照顾的贺希德夫人爱丽丝，带着六个孩子，回到诺曼底的乡下维特伊（Vetheuil）。爱丽丝失去丈夫照顾，莫奈这时正因为卡蜜儿病重，也无法照顾两个孩子，因此就带着病重的妻子和两个孩子也到了维特伊，两家人住在一起。爱丽丝负责照顾病重的卡蜜儿和八个孩子，让莫奈可以专心画画。

莫奈在维特伊从一八七八年一直住到一八八一年，三年的时间画了一百五十幅作品。而这三年间，一八七八年卡蜜儿生下第二个男孩米歇尔（Michel），一八七九年九月卡蜜儿逝世，整个家庭都靠爱丽丝照顾打点，使莫奈度过了人生最艰难的时刻。

卡蜜儿逝世后，莫奈和爱丽丝带着八个孩子一直住在维特伊，贺希德一人住在巴黎，实际上与爱丽丝已经分居。

莫奈与爱丽丝组成了新的家庭，他们两个人的孩子也相处和睦，爱丽丝的大女儿苏珊成为莫奈最常画的模特儿，一八八六年他为苏珊画了一系列《撑伞的苏珊》。爱丽丝的第二个女儿布朗希（Blanche）长大后嫁给了莫奈与卡蜜儿的长子让，在当时小小的巴黎文化圈里可能当绯闻八卦流传的莫奈与爱丽丝的感情故事，事实上是两个人第二次美好的结合。

莫奈在失去卡蜜儿之后有了新的感情寄托，爱丽丝在丈夫出走后也给孩子一个新的家庭，特别是两个大人八个小孩的庞大家庭，搬到吉维尼之后，同心合力经营了莫奈花园，他们的生活是令人羡慕的。

贺希德在一八九一年去世，莫奈与爱丽丝同居多年，在一八九二年的七月十六日正式登记成为夫妻。

爱丽丝与贺希德生的孩子都同时拥有贺希德（Hoschede）与莫奈（Monet）两个父姓。

一八七九，维特伊雪景

莫奈在维特伊住了好几年，也画了不少以当地风景为主题的作品，包括冬天雪景、夏日水面的光，包括日出黎明，也包括大雾时的维特伊。

这么多维特伊的风景画，却在莫奈一生的作品中很少被介绍，也很少被讨论。维特伊时期像是莫奈丰富的创作期中间一个小小的瓶颈。

从二十几岁开始，莫奈的绘画一直保持着旺盛的创造力，很少出现中断或犹疑。

但是在一八七八年到一八八一年之间，莫奈的创作的确出现了少有的风格上的不确定。是卡蜜儿的重病到死亡的因素吗？还是爱丽丝介入生活的影响？ 其实我们无从知道。

一个创作者因为生活现实发生的变化，影响到绘画风格何去何从，当然可以理解。

海浪

1881，60×73.7厘米

冬天的塞纳河

1885，73×93厘米

莫奈前期的绘画，如果以一八七九年卡蜜儿的死亡做分界，大约正好是莫奈四十岁以前，他的作品表现出大胆的创新，以革命者的新锐姿态出现，不断追求光的转换，不断尝试新的技巧实验，完全是一个新画派新美学的领导者的角色。

在前期的画作中也不断看到莫奈对人物的兴趣，从十九世纪六十年代的《草地午餐》到一系列以卡蜜儿为模特儿的各种人物画，成为莫奈前期创作的重心。

一八七九年卡蜜儿逝世，进入四十岁的莫奈，一直到他以八十六岁高龄去世，后四十年的作品基本上是以风景做主题。

一八八六年以苏珊为题材的一系列《撑伞的苏珊》，其实又是一八七五年画过的卡蜜儿同一主题的翻版。

好像莫奈在四十岁以后不再有任何重要的人物画作品。

更值得注意的是，前期不断以卡蜜儿为对象创作人物画的莫奈，在后期几乎没有留下以爱丽丝为模特儿创作的作品。

莫奈好像彻底变成了一个风景画家，使人们忘了他曾经对“人物”这一主题充满兴趣与热情。

维特伊恰好是莫奈前期与后期创作的分界，他在这里面对第一任妻子的死亡，也在这里接纳一个新的女性与她的六个孩子进入他的生活，莫奈或许内心有许多感触，这些感触没有流露在人物画作中，却可能隐藏在含蓄的风景画里。

莫奈在维特伊时期画了不少雪景图，寒冷的冬天，白雪皑皑，高高的教堂尖塔，是维特伊很容易辨认的风景，教堂后面一片白雪覆盖的山丘，前景是河流，有船只在河上划行。

莫奈的风格变得很奇特，整件作品好像在过度寒冷的气温下被封冻了起来，看不到莫奈画里一贯热情洋溢的色彩，看不到他一向使人兴奋起来的跳跃的光，看不到活

吉维尼的冬天 1885，64.5×88.5 厘米

泼的笔触。

寒冷的大地，一切像都已经死灭，困顿僵硬的生命，彼此挤压着，一种难以言喻的不快乐堆挤在画面上。

莫奈是遇到了瓶颈，也许不是创作上的瓶颈，而是生命本质的瓶颈。如同死亡一样，这瓶颈，他必须努力通过。

一八七九年至一八八〇年莫奈画的维特伊雪景，灰蓝的色彩，模糊不清的轮廓，一片混沌，隐约看到教堂的高塔，倒映在布满浓雾的河面上。浓雾化不开，和莫奈《日出印象》里轻盈透明的雾不一样，这时的维特伊雪景很沉重，笔触很厚，不像是用画笔的轻柔，反而近似用画刀在画布上挤压，压出厚实的油料，因此有透不过气的感觉。

维特伊，一八七九年，是卡蜜儿临终的时刻，这些画中的蓝紫色也非常像莫奈处理卡蜜儿病床弥留时刻那一幅画里的色彩，沉重、忧郁，被死亡的重担压着，画家很真实地叙述着自己生命乐章里最暗哑苦涩的旋律片段，印象派画家的创作受现实情绪影响的状况也比传统学院美术更明显。

风暴过后的贝尼里海角 1886，65 × 82 厘米

维特伊雪景 1879

69×90 厘米，美国纽约私人收藏。

因为卡蜜儿生病，莫奈两个孩子交由经纪人贺希德夫人照顾，住在维特伊。莫奈因此画了那一个冬天的几幅雪景。

维特伊雪景 1880

61×100 厘米，法国巴黎奥赛美术馆藏。画里的色彩沉重、忧郁，画家叙述着生命乐章里最暗哑苦涩的旋律片段。

Claude Monet

卡顿港的狮型岩石

1886，65×81 厘米

贝尼里岛上的岩石岬角

1886

贝尼里岬的岩石

1886，60×73 厘米

贝尼里岬的岩石

1886，66×81.5 厘米

贝尼里岬 1886，65×81 厘米

莫奈与吉维尼

一八八三年五月莫奈经过吉维尼，喜欢这个风景优美的地方，附近又有学校，可以供八个孩子读书，因此他就先租下了两亩地，大约八千平方米的一块农地，把旧的谷仓改成自己的工作室，用来画画，附近有果园、花圃，农家的一切也都不缺乏绘画的题材。莫奈一家人因此和吉维尼这块土地结缘，一直住在这里。莫奈一九二六年去世，他最后四十年的生活与创作都在吉维尼完成。

目前吉维尼的莫奈花园已经成为法国最重要的观光景点之一，花园里大部分的建筑，包括起居室、卧室、厨房、书房，都保留着原来的形式，连花园中的草木，像鸢尾、垂柳、睡莲，包括莫奈亲手建造的日本桥，都维持着当年的景观。

莫奈一生的记忆成为法国和世界共享的精神财富，唯独大谷仓改建的工作室，当

自画像 1886，56×46 厘米

年莫奈在这里创作无数杰作，因为要适应每天流量巨大的观光客的购买欲，已经改装成贩卖部，提供各种莫奈画作制成的复制品。

吉维尼原来只是一个平凡的小乡村，距离巴黎八十公里，从莫奈画过的圣拉扎尔火车站坐火车，大约四十五分钟可以抵达吉维尼附近的维侬（Vernon）车站，距离吉维尼就很近了。

吉维尼也属于塞纳河流经的区域，丘陵起伏。莫奈定居以后花了很多时间经营这块土地，挖了水池，引水营造景观，种植他喜爱的睡莲、垂柳，使园林充满东方情调的诗意性，莫奈不只在画布上完成他的美学，他后期最重要的作品之一其实应该包括他一手打造设计的莫奈花园，他与自然对话，与自然相处，与自然成为亲密朋友或家人，提供给大众另外一种融入生活里的自然哲学。

一八九〇年，莫奈有了新的经纪人杜兰胡（Paul Durand-Ruel，1831-1922）。杜兰胡非常有前瞻性，看出印象派创作出的新美学作品，已经到了将被大众接受的时刻，工业都会中成长的一代，将迅速崛起，成为新艺术的支持者，会大量购买印象派的作品。

杜兰胡原来经纪巴比松画家的作品，多是以农业乡村自然为主题。一八七〇年前后杜兰胡躲避普法战争避难到伦敦，他发现现代都会人口已经形成，因此在伦敦开了画廊，经纪当时还没有受到重视的印象派画家的作品。

不多久杜兰胡就敏感地觉察到印象派画家受到都会人口喜爱的程度，因此他开始在伦敦举办马奈、莫奈、雷诺阿、德加这些印象派画家的作品展，获得很大的成功。

接着杜兰胡又开始把经纪公司扩张到美国纽约。在工商业发达的城市中生活的美国人，对怀旧的农村美学兴趣其实不大，他们更着迷于印象派画家对光的追求，他们更贴近印象派画家作品中的火车站、都市酒吧、度假海港及灯红酒绿的城市繁华，因为那也就是他们自己的时代、自己的感受、自己的生活。

杜兰胡开始大胆投资在莫奈身上，使他在一八九〇年十一月卖出了许多画，收入颇为可观，因此莫奈有能力买下了吉维尼原来租赁的土地，可以更确定地在这片土地上经营自己的美学了。

干草堆——系列画作

莫奈从一八九〇年开始常常选择同一个主题连续在一年两年之间创作十几二十幅系列作品。

《干草堆》就是他从一八九〇到一八九一年花了一年时间创作的最早的系列主题。

搬到吉维尼之后，有了稳定的经济生活保障和安定的家庭环境，莫奈对创作的视野格局越来越大，也才有机会作系列主题的长时间的思考。

他住在吉维尼，附近有很多农家。夏季过后，麦田收割，一束一束的干草梗堆叠累积，形成一个个圆形的、菇菌形状的干草堆。干草堆一幢一幢兀立在收割以后空旷辽阔的田野中。日出日落，春去秋来，晴雨交替，寒来暑往，所有季节的变化、日月的更替、黎明黄昏，不同的光线都照映在干草堆上，干草堆经历着不同时间的变化。

自古以来很少有人以干草堆作为绘画对象，干草堆不是美丽风景，也不是花卉，

最早的干草堆 1884

美国纽约罗森斯塔夫基金会藏。
从干草堆的创作开始，莫奈看懂了含蓄内敛的黎明的光。

没有鲜艳颜色，更没有活泼的姿态，一般人看到一堆干草，或许不会有什么特别反应。干草堆只是农民收割完之后没有特别珍贵价值的剩余物资，也许可以用来做喂养牲畜的饲料，也许可以铺在马厩屋顶挡雨水风雪，或弃置在田中任其腐烂变成土壤中的肥料。

干草堆，在欧洲和在亚洲一样，都是农田收割后常见的风景，但是也都没有特别引起画家注意，成为重要的绘画史主题。

为什么五十岁的莫奈开始关心起干草堆，一幅接一幅地画起干草堆？

干草堆对莫奈有特别的意义吗？

如果我们在一个美术馆看到一幅莫奈画的《干草堆》，或许不一定立刻心里会有很大的感动。

莫奈的《干草堆》系列大概有二十五件，同样大小的尺寸，同样的主题，分散在世界各个不同的美术馆。

如果在几个美术馆陆续看到同一主题的《干草堆》，会在记忆里慢慢连接成一幅壮观的图像。

莫奈的《干草堆》事实上非常像中国古代长卷画的观念，慢慢一点一点展开，每一段局部也许平凡无奇，但是一旦连接起来，才发现如此壮阔，视野宏大。

西方绘画一直关心“空间”，画家站在一个定点，寻找固定焦点，闭起一只眼睛，确定严格的三度空间的景深透视。

关心景深透视的空间绘画，往往看不到时间的微妙变化。

汉字的空间是“宇”——“上下四方”。汉字的时间是“宙”——“古往今来”。

我们常说“宇宙”，可能忘了这两个字并不单指“空间”，也意指“时间”。

东方绘画关心的其实不是单纯固定不变的“空间”，而是生生不息绵延不绝的“时间”。

夏圭的《溪山清远图》、黄公望的《富春山居图》，都是超过八米以上长度的手卷，必须拿在手中，一面卷，一面放，一个局部一个局部，一段一段，连接成一幅壮观无限的长卷风景。

这样的风景不是某一特定时间下的空间，而是在漫长时间里创作者的记忆总和。

因此黄公望的《富春山居图》从元至正七年画到至正十年，三年之间叠叠布置还没有画完。

黄公望画的不是一座山，也不是一条河流，而是山与水在时间里记忆的总和。

中国宋元绘画一直追寻宇宙的无限性，不满足于一个局限自己的定点，因此发展出了西方绘画没有的“立轴”与“长卷”形式。“立轴”视觉的上下移动，与“长卷”视觉的左右浏览，是暗示时间的无限性。

莫奈喜爱东方，可能不只是收藏浮世绘版画，不只是营造日本拱桥，种植睡莲、垂柳，经营东方园林美学。值得注意的是莫奈中年以后系列主题连作中的时间概念，可能更贴近他对东方哲学本质的了解与追求。

莫奈一八八三年住到吉维尼，有机会在夏日收割后的田野间散步，有机会看到干草堆。事实上，一八八四年他就画了最早的一幅《干草堆》，这幅最早的干草堆目前收藏在纽约罗森斯塔夫（Collection J. Rosenstaff，NewYork）基金会。

田野间一前一后两堆干草，一大一小。远处地平线上刚刚透露出黎明的光，熹微

干草堆 1891

法国巴黎卢浮宫藏。

吉维尼夕阳下的干草堆 1891

74×93.5 厘米，美国麻省波士顿美术馆藏。平凡无奇的田野间的干草堆，莫奈用长达两三年的时间观察光的变化，记录光的变化，成为他著名的《干草堆》系列作品。

的初日之光干净透明，大地慢慢亮起来了。

莫奈一八七二年画过《日出印象》，那时他刚刚三十岁出头，日出之光跳跃、快速、浮动。如今，莫奈四十四岁了，经过第一任妻子卡蜜儿的死亡，经过光的幻灭消逝，经过与第二任妻子爱丽丝的结合，与没有血缘关系的六个孩子的相处，莫奈走在田野中，看到干草堆，看到日出，看到如此饱满而含蓄内敛的黎明的光，他似乎更多地懂了一点“日出”的壮丽，不是因为光的炫耀，相反，真正的壮丽竟然如此安静谦卑。

莫奈《干草堆》系列虽然一八八四年就已经开始，但是真正有计划地动手创作，连接成一组壮观的时间史诗，是在一八九〇到一八九一年。

他开始把许多对“干草堆”的印象连接在一起——

——夏日炎热的风里刚刚收割下来的麦草堆，透着新鲜的阳光与土壤的气味。

——某一个黎明，大地上透出破晓的微光，干草堆的边缘刚刚被微曦的光照得幽静。

——日正当中，烈日炙烤下仿佛要燃烧起来的白热的干草堆。

——日落黄昏，夕阳余晖照耀着灿烂的霞彩的干草堆，拖着长长的影子，仿佛不忍离去的斜阳余晖。

——经过初秋，清冷的空气里透着透明的微光，干草堆像是被遗忘在荒地旷野上的一个孤独的身影。

——深秋风雨里的干草堆，逐渐寒凉下去的光。

——冬日大雪翻飞，雪光映照着夕阳的金红色的光，灿烂缤纷竟如繁花。

——初春的清晨浓雾密密层层地围绕，黎明的光在雾气中浮沉游荡，一丝一丝的

干草堆（雾中清晨） 1891，私人收藏。

光，一线一线在干草上出现。

莫奈用一整年的时间在田野里画干草堆，从破晓黎明画到中午，从中午画到黄昏。看着清晨的光一点一点在草堆上亮起来，又看着黄昏的光一点一点在草堆上淡去消逝。他凝视着干草堆，像曾凝视过的妻子卡蜜儿临终的面容，光慢慢亮起来，或光慢慢消逝，都如此庄严：他五十岁了，好像开始懂得了用这样的方法去看待生命，去静观光在一个物体上的出现、存在与消失。

一共大概二十五幅《干草堆》系列的作品，分散在世界各个角落，记录了长达一年的时间里，莫奈以干草堆为名看到的春、夏、秋、冬，黎明、黄昏，晴日与大雪，

田野中的干草堆 1893，66×101.6 厘米

明朗与灰雾，他看到一个物体经历着时间的变换，看到千变万化的干草堆其实只是光的魔术。一切如梦幻泡影，如露如电，快速转换变化的光，使莫奈仿佛领悟到刹那的意义，没有真正永恒不变的本质，每一分每一秒都在变换中：所有我们眼中看着、手上握着、紧紧拥抱着的一切，终究会消逝不见。

莫奈的一系列《干草堆》，是欧洲风景画里最壮丽的史诗。

我们误解了，以为风景一定是奇特的山水，也许不是，奇特的山水，在工业革命交通便利之后，常常容易流于肤浅的观光，招来一堆无法安静地与风景相处的喧嚣游客。真正的风景也许就在身边，如此平凡，如此单纯，如此安静，永远在那里，等待你终于发现——啊，原来就在这里——

吉维尼的干草堆 1893

五十岁在吉维尼定居的莫奈，在干草堆里看到了自己，看到一直存在的光，看到岁月，看到时间，看到繁华，也看到幻觉。

怀着卡蜜儿死亡的哀伤活着，带着卡蜜儿生的两个男孩活着，看到爱丽丝带着六个孩子，这六个孩子也都叫他爸爸，看到最年长的苏珊、布朗希长大成少女，成为他画里新的模特儿。看到布朗希与卡蜜儿生的长子让相恋，结为夫妻。

进入中年的莫奈看到时间里生命的变迁，真实的生活像无所不在的光，明亮是光，幽暗也是光；黎明欢欣是光，黄昏忧伤何尝不是光？

他一生在绘画里寻找光，光成为他领悟生命的符咒，他走进光，看到干草堆，看到晨曦，看到余晖，看到生，也看到死亡。

干草堆·夕阳

1888—1889，65×92 厘米

干草堆系列画作

1891，法国巴黎奥赛美术馆藏

1890，美国麻省波士顿美术馆藏

1888—1889，日本琦玉顶立近代美术馆藏

1890—1891，美国芝加哥艺术中心藏

1891，美国芝加哥艺术中心藏

1890，澳大利亚堪培拉国家画廊藏

干草堆系列画作

1890—1891，美国芝加哥艺术中心藏

1890—1891，美国芝加哥艺术中心藏

1888—1889，美国康州法明顿希尔斯蒂美术馆藏

1890—1891，美国芝加哥艺术中心藏

1890—1891，美国芝加哥艺术中心藏

1888—1889，美国私人收藏

鲁昂教堂

莫奈五十岁以后的《干草堆》系列作品，值得把二十五件放在一起欣赏。这二十五件作品或许应当只是一件作品，是以分割开的独立册页连贯成一件壮观的手卷。

东方的哲学其实是更应该看懂莫奈的。

二十五件作品的主题也不一定是“干草堆”，而是“光”——不同季节、不同时辰、不同气候下的“光”。

莫奈在十九世纪末其实已经宣告了二十世纪初抽象绘画的诞生。

莫奈的“系列”作品很明显在以光的主题瓦解物象的轮廓，“干草堆”不见了，直接感受到的是“光”，用很浓厚的颜料挤压堆叠出的“光”，像是黑夜包裹着的天地，密不透风。然而光像胞衣里的胎儿，蠕动着，撕裂着；光像第一声婴啼，要从黑暗中破裂而出。

莫奈画作中已经看不清轮廓，物象具体的形状模糊了，跳跃出来的是“光”，充满生命力的光，在画面四处流溢宣泄，是随着创作者的笔触油彩到处游走流动的“光”，是“光”的欢唱、呐喊、狂喜、震动，是“光”的忧伤、深沉、迟缓，渐行渐远不忍离去的反照。

一八九〇到一八九一年莫奈完成了《干草堆》系列，一八九一年他同时以“杨树”为主题创作了一系列作品。

杨树是法国常见的行道树，一棵一棵笔直立在大路两旁或河边两侧。

莫奈在《杨树》系列也很明显并不是关心杨树本身，而是关心杨树四周的光线。树叶在光里的颤动，树隙之间的天光，倒映在河面的水光，光分解着物体形象，光融化着色彩，视觉在光的照耀下一片迷离，物象都解体了。

莫奈的“系列”作品更重要的是一八九二年到一八九四年创作的三十几幅大连作《鲁昂教堂》。

《干草堆》是农村田野间最平凡无奇的物体，然而《鲁昂教堂》刚好相反，它是法国历史上数一数二的著名古迹。

鲁昂教堂在诺曼底省，中世纪以来鲁昂（Rouen）就是欧洲繁荣的都会之一。这个地区因为邻近英格兰，长达百年的英法战争曾在这里发生。法国历史上著名的抗英英雄圣女贞德也活跃在这里，最后在鲁昂遭受火焚酷刑而死。

鲁昂教堂是中世纪最重要的哥特式建筑，石雕拱门、钟楼尖塔、花窗玻璃、飞扶

杨树 1891

92×72 厘米，美国费城博物馆藏。

“杨树”是法国常见的行道树，一棵一棵笔直地立在大路两旁或河边两侧。

莫奈在《杨树》系列也很明显并不是关心杨树本身，而是关心杨树四周的光线。

从贝尼格尔远眺风中的白杨树

1887，81.6×81.6 厘米

四棵白杨树 1891，81.9×81.6 厘米

河边的白杨树 1891，102×62 厘米

三棵白杨树，1891

92 × 72 厘米

拱壁，都传承了中世纪以来哥特式建筑的特色。鲁昂教堂也是法国最高的教堂建筑，朝圣者与观光游客不断，是法国最重要的观光景点之一。

莫奈要如何面对这样一个观光主题？

莫奈要如何表现已经完全被图像化符号化了的历史古迹？

传统学院训练的画家一定是精细描绘教堂建筑的细节，每一处雕花，每一块石头的质感，每一个尖拱的造型。

然而当我们面对莫奈的三十几幅《鲁昂教堂》，我们看不到传统古典的元素。我们看到的依然是光，不同季节、不同时间的光，把整座教堂解体了。

莫奈贴近教堂，贴得很近，视觉上看不到教堂的全部。这样的构图是传统古典画家不会采用的。我们今天去鲁昂观光，带着照相机，面对教堂正面。教堂正面面朝西方，前面有一个大广场。我们要一直退到广场最西端，才能拍摄到教堂的全景，才能看到教堂高高的钟楼尖塔。

莫奈没有采取这样退后的构图方式，他贴近教堂，看不到教堂全貌。因此，他关心的不是教堂的建筑形式，他关心的是光。他在长达两年的时间里，观察日出之光从教堂祭坛的方向升起，所以他画西面正门入口，一定是在背光的状态。

太阳升起，一个上午教堂上的光影都在变化。

日正当中，教堂像在最强烈的顶光下发亮，璀璨夺目如珠宝闪烁。

鲁昂教堂 1892—1893

100 × 65 厘米，法国私人收藏。教堂上阳光一寸一寸移动变化，莫奈一一记录下来。原来教堂的美也是“光”的华丽。

清晨时的鲁昂教堂 1894

106 × 73 厘米

鲁昂教堂 1894

100×66 厘米

日落时分的鲁昂大教堂 1894

100 × 65 厘米

鲁昂教堂之晨光 1894

91 × 63 厘米

鲁昂教堂的正门·棕色调 1894

107×73 厘米

中午时的鲁昂教堂 1894

101×65 厘米

阴天里的鲁昂教堂正门 1894

100×65 厘米

到了下午，太阳偏西，教堂正面一点一点被阳光照亮。

一直到黄昏，如果在夏季，大概是八九点钟的阳光，直射在教堂建筑上，花窗玻璃染成全红，像神的奇迹告示，像门徒约翰在《启示录》里描绘的天国开启的景象。

最后，莫奈看着落日余晖从教堂形体上退淡，一丝一丝消逝，他再一次想到卡蜜儿临终脸上最后的光。

在莫奈的世界，或许“干草堆”与“鲁昂教堂”并没有差别。一般人认为平凡无奇、轻贱无价值的草堆，与神圣珍贵的教堂建筑不可同日而语；莫奈却只看到华丽之光与虚幻之光的交错，看到梦幻泡影一般的光的出现与消逝。

莫奈的干草堆与鲁昂教堂一系列放在一起看，才看到如同佛经一般对物体成、住、坏、空的领悟。

最好的美术，并不是外在形式技术的卖弄，莫奈的美学是生命深沉的领悟吧。

清晨时分的塞纳河 1897，81.3×92.7 厘米

清晨雨中的塞纳河 1897，73×92 厘米

二十世纪——伦敦国会大厦

一九〇四年莫奈到伦敦，这个他三十年前来过的城市，如今在他的视觉里有了不同的感受。

莫奈是在三十年前受英国画家透纳影响，注意到光的变化，注意到速度与光的关系。相隔三十年，他对光的观察更深入，也超越了透纳的表现。重新回到伦敦，走在泰晤士河边，看到国会大厦的建筑，看到伦敦特有的雾气在河面飘浮，看到落日在河面浮动的金色的光，看到浓厚的雾气里光的复杂层次。光随着一丝一丝的雾在流动，光也随着一波一波的水流在变幻，灰蓝色的雾与金红色的日光形成一种对话。国会大厦只是一个朦胧的剪影，若隐若现，好像安静地聆听日光与雾的对话，安静地聆听着日光与水流的对话。

有时候莫奈看到的仿佛是月光，在浓密的云层背后，月光破云而出，整个天空闪

伦敦国会大厦 1904

81×92 厘米，法国巴黎奥赛美术馆藏。

一九〇〇年以后，莫奈的光越来越抽象，形象逐渐在光的变幻中朦胧隐退，一切如梦、幻、泡、影，他看到了瞬间就消逝的灿烂。

伦敦国会大厦 1905

81.5×92 厘米，法国巴黎玛摩丹美术馆藏。

烁着月亮的光华，清冷的、苍茫的月光，从国会大厦背后投射出来，把国会建筑的影子映照在泰晤士河河面上，倒影旁边明晃晃的月光，照着一波一波浪涛，浪涛像是被月光惊动，飞扬激动起来，莫奈快速即兴的笔触像是音乐旋律，高昂激动，像是浪漫派乐曲的华丽片段。这是光，是月光，仍然强烈，爱憎分明，像惊叫起来的声音，是莫奈在月光下一刹那心灵的惊叫吧，像王维诗里的“月出惊山鸟”，原来暗夜里也有这样令人惊动的光的对话。

其中有极为特殊的一件，主题可能转移到天空的云层与光的层次变化。一朵一朵浓厚的云，云隙边缘透出光，白色的光，红色的光，交错纠缠，成为不安定的光的闪烁流动，像窜动的金蛇，在视觉里跳跃。倒映在河面的光，交融成一片灰紫、浅粉、浅蓝的色谱。

画家的调色盘很少出现的一种朦胧迷离色彩的光谱，在莫奈的画中出现了。

莫奈引领二十世纪的人类开启了另一种视网膜上的感觉，不是色彩的感觉，而是光介入色彩产生的微妙温度的变化。

二十世纪人类历史有许多不同领域的革命，莫奈的视觉革命、光与色彩的革命都应该被重视。

伦敦的国会大厦，一个世界知名的历史建筑、政治符号，一个背负着许多符号意义的建筑量体，在莫奈的笔下却被光转化成真正视觉的意象。

莫奈像是要拯救我们的眼睛，拯救我们的视觉，拯救我们观看的方式。当我们指着一个物体说：这是“干草堆”，这是“鲁昂教堂”，这是伦敦的“国会大厦”时，莫奈希望我们也同时看到了光与色彩。光与色彩才是视觉的本质，“草堆”“教堂”

都只是表象，在物质转化的漫长时间里，表象都并不长久。“草堆”很容易腐化消失，“教堂”的石材很难风化，但是，在漫长的时间长河里，或许结局并没有不同，一年后的腐化与一千年后的废墟，也许都只是同一种光从繁华到幻灭而已吧。

进入二十世纪，印象派从三十年前的激进派一变而成为欧洲绘画的主流。莫奈、雷诺阿、德加、西斯莱，甚至最晚被注意到的塞尚，都成为画坛经纪人、美术馆、画廊争相延揽的对象。

伦敦国会大厦 1902

81.6×93 厘米，私人收藏。

莫奈功成名就，从原来抗争国家美术沙龙“落选展”的健将，一跃而成为画坛大师。

这么巨大的角色改变，对创作者会是一种什么样的心情？面对新一波年轻艺术家的崛起，例如：毕加索，一九〇〇年已经从西班牙到了巴黎，他要掀起更大的绘画视觉革命，对这个才二十岁的青年而言，印象派不再是“前卫”“现代”，而可能是“古典”。

对于年轻时充满叛逆颠覆情绪的莫奈而言，稳定在一个大师的崇高位置，会是他想要扮演的角色吗？

拥有了崇高的“大师”地位、卖画收入丰厚的经济条件、养尊处优的幸福生活，莫奈还要从哪里找到创作的动机？

如果“文穷而后工”，那么创作者必须保持某一种“穷”作为不断挑战创作难度的动力，莫奈的“穷”应该是什么？

进入二十世纪，人类的改变日新月异，只是绘画史，变化就十分惊人。梵高一八八八年精神病发，一八八九年创作了惊人的作品，颠覆了整个欧洲唯美导向的艺术发展，一八九〇年七月梵高就自杀身亡了。

梵高的故事、梵高的作品，会给五十岁的莫奈什么样的影响？

一八九〇年梵高自杀时，莫奈正在苦思创作他的《干草堆》系列。

他没有被“大师”这样世俗的头衔限制住，他专注地看“干草堆”，看田野间每一根干草上光的出现与消逝。

真正的创作者没有头衔，只有对难度的不断挑战。

进入二十世纪，印象派的作品垄断了绘画市场，不仅欧洲是印象派的天下，连美洲、亚洲的日本、中国台湾等国家和地区，何尝不是印象派独大的世界。

印象派成为新的“古典”，印象派成为新的学院技法，印象派的外光观念一样变成美术评审的重要标准。

莫奈可能变成年轻一代渴望改革、渴望创新、渴望超越的年轻画家忌恨颠覆的对象。如同他自己年轻时对待古典大师的态度。

莫奈在进入二十世纪时已经六十岁，然而他还有二十六年的生命，他还有二十年以上的创作生涯，他要如何自处？他将重复自己的技法，故步自封，还是仍然以昂然之姿挑战创作的高峰？

二十世纪，更前卫激进的名字不会是莫奈，而是毕加索，是马蒂斯（H. Matisse），是席勒（E. Schiele），是不久以后陆续登场的康定斯基（W. Kandinsky）、蒙德里安（P. Mondrian）。

长江后浪推前浪，莫奈将如何面对一波一波汹涌而来的后浪？

在画完一九〇四年的《伦敦国会大厦》之后，我们似乎看到了莫奈少有的一个阶段的创作瓶颈。

他在吉维尼家里画自己经营的日本桥和睡莲，他也到威尼斯地中海一带旅行写生，仍然试图在观光旅行中观察光，但是第一次世界大战发生以前，莫奈的画作不再给人深刻的震动。

那个年代，被拿出来讨论的新锐人物是梵高，在疯狂中自杀而死的画家，他的爆裂情绪如天风海雨般逼人，在画面上宣泄出浓烈的色彩笔触。

那个年代画坛新锐的领袖是被毕加索尊称为“现代绘画之父”的塞尚，从印象派

Claude Monet

泰晤士河 1903

65 × 93 厘米

刚开始时就在创作，却一直默默无闻，回到普罗旺斯家乡，面对家乡的圣维克多山，不断深入风景的内在，把风景变成色块，变成笔触，以切割解析的细微块面带动了二十世纪最重要的视觉革命。

二十世纪初，那个年代，画坛讨论的是高更，忽然销声匿迹到荒远的大溪地，在原始的初民文化里重新思考欧洲都会文明，他摆脱一切欧洲学院的束缚，在南太平洋的荒岛上寻找色彩原质的迸放。

这些二十世纪初“立体派”（Cubism）、“野兽派”（Fauvism）的先锋者，他们尖锐犀利地站在新世纪初的巅峰，成为新美术的鲜明标志。

然而莫奈呢？

度过了他的六十岁，度过了他的七十岁，在画坛上成为功成名就、德高望重的“大师”，然而对于一个真正怀抱着创作热情的人而言，那些辉煌的头衔只是作为一名真正“画家”的干扰与嘲讽吧。

老年的莫奈，背负着印象派创始者的盛名，也一定成为许多要求超越激进的新锐创作者的挑战，他将何去何从？

威尼斯——一次失败的旅程

一九〇八年莫奈在威尼斯旅行，画了很多以威尼斯为背景的作品。

威尼斯是欧洲许多画家追寻视觉上光的灵感的城市，十七世纪以来，由于威尼斯得天独厚的地理条件，水光接天，建筑物又干净单纯，色彩透明纯净，很适合入画，因此也形成了特殊的威尼斯风景画派。

十八世纪许多风景画家到威尼斯也是为了寻找灵感，像法国写实主义画家柯罗就留下很多以威尼斯为背景的风景作品。

英国画家透纳更明显地在威尼斯寻找光的灵感，他是启发莫奈的画家，他在威尼斯灿烂到炫目的夏日夕阳的光里看到瞬间的繁华与幻灭，几幅题名为《海葬》的作品，描写威尼斯海上焚烧尸体船只的葬礼，火光与夕阳余晖一起燃烧，光焰烛天，华丽灿烂中又都是感伤，是透纳从威尼斯得到的美丽启发。

威尼斯水道 1908

73.7×92.4 厘米，美国麻省波士顿美术馆藏。

威尼斯是风景优美的地方，莫奈追求的光却在这一系列作品中流于观光客似的平庸。

我们似乎可以了解，将近七十岁的莫奈，也要千里迢迢跑到威尼斯，希望能够寻找到光再一次的启发。

我们应该预期，莫奈也可以从威尼斯的风景中找到如同《干草堆》《鲁昂教堂》《伦敦国会大厦》一样的光的系列的精彩描绘。

如果把莫奈一九〇八年在威尼斯的系列画作放在一起观察，也许会有一点失望，因为这个系列的震撼性是远不如前几个系列的强度的。

威尼斯的风景太特殊，有时候会跟朋友开玩笑，觉得在威尼斯拿照相机拍照，一点成就感也没有，因为，威尼斯的风景，从任何角度取材，最后都像一张卖给观光客的风景明信片。

威尼斯太美了，太美的风景，就像伸展台上的模特儿，只是贩卖衣服品牌的架子，其实很难入画。

一张好的绘画，一件好的艺术品，当然不会浅薄到只是满足观光客的风景明信片。

莫奈还是试图要用光分解威尼斯风景，但是或许他自己的确是一名观光客，那一条大水道（Canal）符号性太强，那些码头的木桩也符号性太强，隔着水道的圆顶建筑更是威尼斯观光标志性的风景，我们忽然觉得莫奈变成了一个满足观光客肤浅美感的画家。

他一贯努力寻找的光、天空的云影、水面的波光，一下子沦落为观光客喜爱的过度概念化的符号。

莫奈的威尼斯系列没有摆脱观光文化的贫乏外表，其实也暗示了整个二十世纪模仿印象派的全世界观光绘画的庸俗与肤浅。

今天在巴黎的街边，大量存在着这一类贩卖给观光客的风景画，这样的画作存在，是因为有大量的消费者，在匆忙的旅游观光里误以为风景是可以购买的。不但可以购买，还可以廉价购买，像廉价收藏令自己感动的记忆。

莫奈画里动人的光其实来自一种幻灭的感伤，莫奈自己常常说：绘画是无奈的工作，因为他不断看着光，凝视光，记录光，但是他一旦从画布上抬起头来，立刻发现他画下来的光已经改变。

绘画是如此徒劳无功的工作吗？像苏东坡诗句里说的“欲将诗句绊余晖”，诗句和画笔都想留住夕阳余晖，但还是留不住，牵绊不住。

莫奈的动人，恰恰在于他每一次对光的寻找，其实最后的结局都是幻灭，如同他在卡蜜儿临终脸上看到的光，这么留恋，但是怎么留都留不住。

美并不是占有，也许相反，常常是领悟到美无法占有。当然，廉价的购买，霸道的占有，更是对美最大的伤害。

莫奈在威尼斯做一名匆匆来去的游客，他竟然也贪婪到要用廉价的方式占有美。

也许很快莫奈就发现了自己与威尼斯风景之间的矛盾，他的威尼斯系列没有发展出很多画作，他很快结束了威尼斯系列。他要回到吉维尼，回到他熟悉的土地，闭上眼睛，连嗅觉都是熟悉的，那清新的夏日睡莲开放的气味，那垂柳的气味，池塘里游动的鱼和水草的气味。他必须回到自己最有感觉，有最深刻记忆的地方，才能重新创作。

一个艺术家可能在自己一生中开发出不同的新题材，像莫奈，在十九世纪末，曾经对刚刚被工业带进生活的火车发生兴趣，火车的蒸汽、火车的汽笛、火车的节奏、火车的速度，那一切新时代还没有被绘画处理过的题材，却给他感官上巨大的震撼。他一次一次画着火车头，不管世俗的看法，把一般人还感觉不到美的事物用绘画确定成为美学。“美”本来就是一种创造，人云亦云只是附庸风雅，并不是美的创造力。

威尼斯的风景正是人云亦云的美，如果要拿来做创作题材，大概必须重新颠覆，否则一定落入俗套。

莫奈是有创作力和自省能力的画家，他的《圣拉扎尔火车站》，他的《干草堆》，都能有不同于世俗的看法，把他优雅、朦胧、梦幻的美学借着最平凡无奇的主题传达出来。

但是，威尼斯在世俗观光的卖点上，恰好就是优雅、朦胧、梦幻，莫奈的美学忽然失去了反向思考的深沉性，流于表面和肤浅了。

第一次世界大战

第一次世界大战是在一九一四年到一九一八年，这段时间是欧洲发生翻天覆地般巨大变化的年代，不只一九〇七年毕加索提出了惊天动地的“立体派”，用完全大胆切割透视的多元角度创作出《亚维侬少女》（*Les Demoiselles d'Avignon*），怪异、扭曲变形、张牙舞爪，彻底颠覆了优雅梦幻之美。

“野兽派”在画面泼洒浓烈的色彩，用即兴粗犷的笔触，书写个人内在主观的情绪。

一九一〇年康定斯基创作了完全没有具体物象可以辨认的抽象画，色彩、笔触、形状，都像是音乐里的音符元素，不依附主题，可以完全独立出来形成纯粹被欣赏的旋律或节奏。

一九一四年在意大利产生了未来主义画派（Futurism），艺术家试图把时间的连续性直接引入静态的画面，让一张画可以表达更多工业机械科技新时代的精神。

到了大战爆发，一群艺术家、文学家聚集在瑞士的苏黎世，感觉到战争的荒谬，感觉到战争里一切的“偶然性”（par hasard），没有永恒不变的规则，一切都只是没有意义的偶然遇合或偶然分离，偶然的生或偶然的死。

这一群艺术家提出了“达达主义”宣言（Dada），宣告创作的绝对荒谬性。

达达主义最著名的作品就是杜尚（Marcel Duchamp）在一九一六年创作的《泉》，现场展出的是一件从男厕所搬来的白瓷小便斗，上面有杜尚的签名。

杜尚代表那一个战争世代的创作者，在炮火连天的焦虑中，在生死一念之间，他们什么也不相信，用完全玩世不恭的态度调侃、嘲讽、颠覆一切主流价值。

杜尚画过一张画，其实不是“画”，他只是在卢浮宫的传世名作《蒙娜丽莎》的复制品上加了两撇胡子。

杜尚要嘲弄附庸风雅的观光文化，美变成了恶质的人云亦云，因此杜尚像欧洲艺术史上的禅宗一样，当头棒喝，希望警醒陶醉在美的假象中的人。

第一次世界大战发生，莫奈七十四岁，他的第二任妻子爱丽丝在一九一一年去世。爱丽丝的女儿布朗希，后来嫁给莫奈的长子让，成为莫奈长媳，她一直住在吉维尼，照顾着年老的莫奈，但是不幸让也在一九一四年去世。孤独的莫奈在战争时不会不知道世界在发生什么样的事情，他或许也知道，年轻一代的创作者如何激进，比他当年更激烈、更大胆、更彻底，与主流价值完全决裂。

年老的莫奈在安静的吉维尼，知道战争不远，知道许多生命的死亡，当年的激进派，如今垂垂老矣，在寂寞孤独中，看着庭院里的睡莲垂柳，他开始创作自己生命最后十年的作品。

白内障与战争

进入二十世纪初，逐渐步入老年的莫奈经历着各种不同的挑战。

外在的美术潮流汹涌澎湃，年轻一代的创作者风起云涌，提出各种不同的视觉与艺术革命，作为印象派曾经执掌大旗的健将，莫奈一定不会完全无视于这些新流派的崛起风潮。然而他已经是绘画历史上地位稳固的大师，功成名就，他将以什么样的态度面对这些挑战？

进入二十世纪初期，莫奈的画作显然也有很大的改变。笔触更大胆，色彩更奔放，许多他前期绘画里试图调和的中间色层越来越少，许多清冷的浅蓝与粉绿的色彩不见了，白色的调和性色泽也不见了。画面上常常出现浓烈鲜明的黄色与艳丽的紫色。

一八九九年开始，莫奈以吉维尼自己家中的庭院池塘为主题画了一系列《日本桥》的作品。

“日本桥”是一个横跨在池塘上的木造拱桥。因为莫奈收藏了很多日本浮世绘作品，浮世绘里有日本东方形式的木造拱桥，莫奈向往东方风景，就在庭院中亲自设计、建造了一座日本桥。

莫奈花园里的池塘面积不大，池塘中遍植睡莲，池塘岸边是一株株垂柳，整个景致都以东方园林美学为标榜。

进入二十世纪，年老的莫奈以自己最熟悉的庭院、池塘、睡莲、垂柳为主题，一次一次重复创作，一直到他一九二六年去世，他最重要的画作几乎全部围绕着自己的庭园，春、夏、秋、冬，黎明、黄昏，日、月，雨、雾、风、雪。他不断地与睡莲垂柳的云影水光对话，外面的世界快速变化，各地在革命，战火蔓延，炮声隆隆，而年老的艺术家退居到自己小小的园林世界，退居到一朵小小的睡莲里，好像要用一朵睡莲躲过外面纷扰残酷的世界。

然而更残酷的事实不一定是外面世界的纷扰嘈杂与战争的屠杀，更残酷的是来自莫奈自己身体的变化。

莫奈老了，不复当年旺盛的生命力，一八九九年莫奈面对着自己的庭院，从池塘一端描绘日本桥，桥下睡莲绽放，桥的另一端是浓浓的垂柳，整幅画作里都是绿茵茵的感觉，柳荫倒映水池中，绿波衬着一朵朵浅粉色的莲花，以蓝绿为主的画面传达着夏日水池树荫下的清冽凉爽。

不多久莫奈开始感觉到视力衰退，他长时间在户外画画，从二十岁开始，长达四十几年的习惯，眼睛经常暴露在强烈日光下，尤其是他画《干草堆》《鲁昂教堂》《伦敦国会大厦》，都必须从早到晚面对日光，黎明到日正当中，到黄昏的光，他又

日本桥 1899，89.5×91.5 厘米

日本桥 1897—1899

89×93 厘米，美国新泽西州普林斯顿大学艺术博物馆藏。
中年以后，莫奈逐渐隐居在吉维尼，经营著名的“莫奈花园”，栽培睡莲、垂柳，修建日本拱桥。

喜欢贴近水面观察水中太阳反光，以及观察白雪覆盖的地面的强烈日光。

长时间与太阳紫外线的接触，使莫奈眼睛的水晶体上覆盖了厚厚的黄色的膜，从一九〇五年开始，他才意识到，长时间视力越来越混浊模糊，是因为罹患了严重的白内障。

莫奈的白内障成为今天眼科医学讨论的重点，许多医学论文借莫奈在一九〇〇至一九二六他去世前长达二十多年的画作解读白内障视力发生的色彩与造型的变化。

有医生认为，莫奈在罹患白内障之后明显从原来以蓝绿为主调的色彩，转换为大量红、黄、紫强烈暖色系的出现。

以日本桥为例，上一件一八九九年的画还是以蓝绿为主调，一九〇〇年以后的画已出现红黄紫的变调。医学界的科学论证其实是很有说服力的，许多艺术界的论述也当然援引这些科学报告，作为解读莫奈后期画作色彩的主要判断依据。

莫奈的视觉的确是发生了变化，影响到他对色彩的判断，白内障在瞳孔晶体上障蔽的膜，阻挡了光线把色彩带进视网膜，病患感觉到的色彩因此发生异常。

如同印象派画家一直强调的光谱，色彩与光有密不可分的关系，然而莫奈罹患了白内障，他渴望的色彩被光阻挡在视力之外，一生追寻光、迷恋光的画家，光仿佛突然背叛了他。

他曾经非常苦恼，对色彩的感受力大为减弱，一九一二年以后这种情况越发严重，所有的色彩都变得混浊，物体的轮廓越发不清晰，他常常要看一看颜料外面包装的文字卷标来确定是什么颜色。

他还是常常在庭院画画，为了避免白内障恶化，头上戴着宽沿遮阳帽，避开中午

白色睡莲与日本桥 1899，89×93 厘米

紫外线最强的时刻，对一个一生寻找光的画家，阻止他、禁止他在户外画画，像是折磨他的酷刑，像是最严重残酷的惩罚。

他有一名长时间治疗他的眼科医生古特拉（Charles Coutela）。古特拉也在长达将近二十年间不断记录莫奈视觉上的变化，包括莫奈后来在一九二三年一月第一次接受右眼手术，去除白内障，右眼重新恢复了视力，可以看到蓝色、浅紫，左眼却还无法看见的详细记录。

莫奈的白内障影响显然是进入他后期绘画创作的关键，医学界依据古特拉的诊断报告振振有词，说服艺术界用有科学根据的分析报告，解读莫奈绘画的造型、笔触、色彩与光的变化。

到目前为止，白内障医学报告还是切入莫奈后期绘画的重要依据。

好像美学上原来模棱两可的词汇语言，忽然被科学拿来作准确的分析鉴定，就完全失去了意义。

日本桥 1900

90.2 × 92.7 厘米，私人收藏。
进入二十世纪，诸如“野兽派”大胆的原色表现与莫奈此时的画风颇有关系。
也有学者认为是莫奈的白内障对色差发生异变的征兆。

所有的美也都被要求放置在科学的解剖台上肢解才有存在价值。

莫奈的后期绘画，有白内障医学报告当然是重要的帮助，但是，我总怀疑，如果一个创作者的经验只剩下了纯粹的生理反应，会不会也窄化了美在被创作过程的丰富意义？

贝多芬是以听觉创作的艺术家，他后期的作品经历了耳聋的挫折与打击，一个一生寻找美丽听觉的人，失去听觉，是多么大的惩罚？

但是我们应当惊讶贝多芬后期作品里惊人的乐曲结构，他听不到了吗？但是，那最后的交响曲里人声合唱的赞颂，如此繁复，如此跌宕，如此缠绵回旋，如此呼应对话，每一次听，都使我觉得他仿佛听到了另外一个世界的声音。

是不是，最美的音乐创作，最后要关闭世俗的耳朵？

是不是，最美的光与色彩，最后要关闭世俗的眼睛？

“最美”，不只是生理状态，也同时是心灵渴望的强度。

贝多芬渴望声音，莫奈渴望光与色彩，他们世俗的耳朵聋了，世俗的眼睛瞎了，但是他们听见了天籁，也看见了天光。

好几次站在莫奈后期的画作前，停留一整天，那些被医学界判定来自白内障病变产生的“模糊”“晦暗”“强烈”“不确定”“闪烁”“混浊”“红黄反差”“粗犷”“躁动”，都忽然流动起来，如同珠宝上层次复杂的光。

“模糊”是视觉的“朦胧”，是心理上有巨大渴望时的一种陶醉状态，我们在凝视最迷恋的对象时常常是看不清楚、也无法确定的状态。

东方的美学早就强调“雾里看花”，强调生理的清晰进入心理迷恋时的“雾”状，日正当中的花因此反而少了朦胧的层次。

莫奈在没有白内障时也画雾中的《干草堆》、雾中的《鲁昂教堂》、雾中的《伦敦国会大厦》，白内障帮助我们解读莫奈老年生理上的一些变化，但不应该是全部，医学毕竟不能全然替代美学。

第一次大战期间，法国总理克列孟梭（George Benjamin Clemenceau，1841-1929）亲自到吉维尼造访莫奈，劝导莫奈接受白内障摘除手术。

克列孟梭非常喜爱莫奈的艺术创作，在领导法国对抗德国的重要时刻，他亲自到吉维尼，鼓励陷在战争与白内障沮丧心情的莫奈，要他力图振作，接受治疗，持续创作，这是对身体与战争双重痛苦折磨的最好回应。

莫奈并没有立刻接受白内障切除手术，他对当时还很新颖的眼科手术没有信心，他恐惧手术失败的失明，对一个画家而言，失去视觉的恐惧是绝对可以了解的。

莫奈一直拖到一战结束的一九二三年才接受右眼手术，摘除白内障，而克列孟梭总理的鼓励，使他在战争期间画了一系列以庭院垂柳为主题的画作。垂柳在西方文字中有哭泣垂泪（weeping）之意，因此他用《垂柳》系列画作哀悼战争期间死难倒下的士兵。

垂柳——垂泪之树

莫奈在一九一四到一九一九年之间的《垂柳》系列画作是为战争期间的阵亡士兵所画的。

从民族主义的角度，从国家的立场，或许很容易解读这一系列画作的动机是为歌颂法国阵亡将士而创作。但是，一个画家用大自然的物象做象征来创作，其实远远超过狭隘的“爱国主义”观点。

每一株垂柳可能是一个在战争中逝去的生命，可能是士兵，可能是母亲、孩子、男人或女人。艺术创作者往往只有对生命本质的哀悼，而不是狭窄的政治宣传。

莫奈处理这一系列垂柳常常用水池中的倒影来表现，因此一丝一丝的柳条像垂滴坠落下来的泪水，池塘变成盛接泪滴的容器，泪水盈满水池，池中升起一朵一朵绽放的莲花。

垂柳 1914—1917

200×213 厘米，美国俄亥俄托莱多美术馆藏。

第一次世界大战，莫奈以《垂柳》系列向战争中死去的士兵致敬。在西方，“垂柳”是“垂泪”之树。

垂柳如泪，一条一条滴下，看得出来莫奈试图用白色强调垂柳直线条倒映水波的效果，池塘边水草摇漾晃动，许多粗犷率性的笔触都如泪迸散，莫奈是因为白内障看不清楚才出现这样的画法吗？还是他在战争与身体衰老双重的沮丧里试图用更强劲的生命力最后一搏。

从美学的角度来看，莫奈面临的不会只是生理的病变，他顽强的心理渴望着与衰退的身体挣扎、作战、搏斗。

《垂柳》系列是他哭泣的心灵状态，哭泣战争，哭泣死亡，哭泣屠杀，哭泣生命必须面对的一切残酷与消亡，哭泣自己，哭泣世界，这一方小小的池塘是老人独白的空间。爱丽丝一九一一年去世，孤独的老人独自面对庭院，这是他最后小小的修行世界，他要

睡莲 1915

151.4×201 厘米，德国慕尼黑新绘画陈列馆藏。
水中倒映的垂柳与向上生长的莲花，莫奈将真实与倒影交错迷离，如镜花水月。

睡莲 1904

89×92 厘米

睡莲 1903

73×100 厘米

睡莲 1905

89.5 × 100.3 厘米

借着这些倒映水中的垂柳与一朵一朵盛开的莲花领悟生命存在与消失的意义。

莫奈凝视着池塘水光，波平如镜，倒映出天空的蓝，蓝天衬托出绿色柳条，水面又生起莲叶莲花，莫奈用快速的笔触线条勾勒莲叶，一圈一圈，像是叶子，又像是垂柳轻拂水面荡漾起的涟漪，像是露水或雨滴坠落水面的波纹。垂柳的倒影与莲叶莲花重叠，看来似乎是因为白内障视力病变的紊乱，其实恰好可能是年老画家一生长达四十年跟庭院风景对话的丰富结果。

是的，莫奈极其苦恼，被白内障折磨，看不清楚轮廓，怀疑色彩的准确性，他好几次在水池边画画，看雾里的光，看月光，看日出与夕阳之光，看垂柳、水波、蓝天、莲叶、花朵，交错重叠，迷离变幻，不清楚，不确定，色彩晦明刹那如梦如影，老画家看到了人类视觉的极限。

莫奈好几次因为沮丧，看不准确光，看不准确色彩，发狂一般把画布画笔推入水池，毁灭自己，放弃自己。他看着水波荡漾，看着颜料在水波中幻化流动溶解，颜料好像离开了画笔，离开了画家的手，离开了画家的意志，有了更大的自由。

莫奈重新捞起画布，重新捡起画笔，他用老年视力衰退的眼睛看着垂柳、花朵、莲叶，这么模糊，好像为泪水模糊的眼睛，都是泪光流动，他像贝多芬听着天籁，在身体痛苦的极限，莫奈也看到了神圣的天国的光。

我们的视觉原来就有极限，年轻对视力自信过了，当眼球变形，视力再经历另外一种层次的惊讶，像老年的诗人杜甫美丽的一句诗：“老年花似雾中看。”

傍晚的睡莲 1915，89×92 厘米

诗人没有抱怨眼球变形产生的模糊，他反而似乎在感谢因为生理病变带来的视觉朦胧，从容喜悦地进入了“雾里看花”的意境。

这样的心境也可能是老年莫奈在白内障时的另外一种心情吗？我们无从知道。

创作者的世界是迂回隐蔽的，往往不是太过单纯贫乏的科学能够一言以蔽之的铁口直断。

睡莲 1914—1919

150 × 200 厘米

垂柳 1918—1919

140×150 厘米，私人收藏。

在二十世纪抽象主义兴起的潮流中，莫奈的创作大胆捕捉心灵印象，也同时使画面从“具象”走向“抽象”。

把这一时期莫奈的画作局部放大，那一朵一朵升起的莲花，造型非常抽象，莫奈并不强调花瓣的细节，而是用非常直接的方法把红色粉色的颜料挤压在画布上，一种抽象的光，在我们的视觉里可以是一朵花，也可以是水池里升起的生命，对应着下垂的柳条，一是死亡，一是新生，象征的意义远大过于写实，这些或许是只有医学训练的简单头脑看不到的层次。

二十世纪到了第二个十年，抽象与超现实的流派都已产生，老年的莫奈最大的挑战或许不只是外在世界的战火，也不一定完全是自己身体的衰退。面对着一波一波美术上不断涌现的新潮流，莫奈也在自己的创作里实验着全新的表现方式，美术史提出莫奈晚年画作与抽象绘画的关系，正说明了拿白内障的医学报告做莫奈创作唯一的解读，可能是独断而危险的结论了。

因为白内障，莫奈才看到了这样纯粹干净的光，视力的衰退没有蔽障他的心灵，如同贝多芬一样，他们被拣选来受身体的苦，却为世间带来了心灵上最大的神迹。

他们经历了听觉的极限、视觉的极限，却听到了天籁，看到了天国之光，他们印证身体不会有真正的残障，真正的残障只是心灵的残障。

莫奈要通过战争，通过白内障，通过一切恐惧，通过绝望，或许在恐惧与绝望的尽头，有完全不同于世俗的光会出现，他必须通过生命最后十年的幽深隧道。

睡莲 1906，88.3×92.1 厘米

睡莲 1904

睡莲 1907，96.8×93.4 厘米

睡莲 1914—1917

150 × 200 厘米

吉维尼的水上花园　1904

莫奈花园

一九二二年前后是莫奈受白内障拖累最辛苦的时候，在这一年他写信给朋友，叙述自己视力衰弱到几乎全盲，无法分辨色彩。对于一个以视觉为专业，一生努力追寻光与色彩的画家，失去视觉是多么大的恐惧与打击。但是，他还是持续画画，凭借着对色彩的记忆画画，像贝多芬凭借着对声音的记忆作曲一样。

记忆里的华丽色彩，记忆里的光，记忆里绿色闪烁如翡翠，如孔雀的尾羽，蓝色澄净如夜空，金红色如夕阳霞彩的灿烂，这些，他都看不见了，视觉里看不见，却在记忆里存在着，如今他只能凭借着记忆来画画了。

眼科医学无法完全解读莫奈晚年画作的色彩，因为那色彩已经不纯然是色彩，而是生命里忘不掉的一片一片光的记忆。

他凝视着自己最熟悉的庭院，凝视着一缕一缕的垂柳，凝视着水池的波纹，凝视着一片一片的莲叶，凝视着一朵一朵的睡莲绽放，然而，都是没有色彩的，像贝多芬凝视着那喧哗而无声的世界。

喧哗，却如此寂静，或许那就是接近天籁的声音了。

莫奈也凝视着缤纷，却是无色的缤纷，他看到了光，抽离了一切色彩的纯粹的光。

他凭借着记忆为这无色的世界加入色彩，被医学界认为色彩异变的莫奈，在一九二〇年还是留下了令人惊叹的色彩绚烂缤纷的画作。

我们都悲悯聋人，因为他们听不到我们听到的声音。然而，我们或许也忽略了，我们一样“听”不到聋人的寂静之声。

我们都悲悯盲人，他们看不到我们看到的色彩，然而我们或许没有想过，我们也看不到盲人“看”到的物象与色彩。

莫奈在最后的生命里从“看见”升华到了“看不见”。

老子哲学里的“视而不见”“听而不闻”的意境，或许并不只是抽象理论，而是具体而真实的感官升华吧。

莫奈在视觉的极限痛苦过，而后他超越了视觉。他最后的画作像一场无法记忆的梦，很确定梦过，却没有细节，常常只是一种光，灵光乍现，一刹那就消逝了。

光消逝了，视网膜上却停留着记忆，我多次站在莫奈的画前，那些长度达到一二十米的大画，固定在四面墙壁上，你被画包围，你不再是“看”画，而是体验“看”

垂柳 1919，100×120 厘米

与“遗忘”、“看”与“记忆”之间微妙的关系。

如同把玩一幅中国长卷画，一面“看”，一面“卷收”，我们其实在经历“看”与“记忆”的连接。“视觉暂留”的影像，拼接、重叠、交互出现或消逝，组织成我们真实的视觉记忆，视觉记忆不全然只是“看”。

玫瑰之屋　1925

吉维尼的莫奈花园 1900

吉维尼花园的玫瑰之路 1920—1922

莫奈的白内障要他停止“看”，而在“看”停止之后才出现了心灵上缤纷璀璨的视觉记忆。

最后几年，莫奈几乎不再画其他任何题材，他专注地看吉维尼莫奈花园的每一棵树，每一株花草，每一朵花。吉维尼是他最后的乌托邦，他要跟这相处达半世纪之久的乌托邦里每一个黎明黄昏告别，跟水波静静荡漾的池塘告别，跟一朵一朵开放又凋谢的睡莲告别。他退回到这小小的乌托邦里，在生命最后的六年，安静、孤独、寂寞，如果视觉不允许他向外眺望，他就向内静静观想。观想水池，观想垂柳，观想花，观想云影，观想夕阳，观想黎明。

凝视着自己小小庭院的莫奈，仿佛不再是用眼睛凝视，而是用最深的记忆凝视，记忆里的每一分每一寸移转的光，使色彩出现，又使色彩消失。

一九二二年五月他写信给朋友说：我毁坏自己的画，我瞎了！

那是在极度绝望里的哀号的声音，然而他始终没有放弃画画，他一直拿着画笔，一直坚持站在画布前面。

一九二〇年开始，莫奈计划画一幅大画，是为卢浮宫杜乐丽花园中的橘园（Orangerie）画的。这期间，一九二三年，他动了眼科手术，去除白内障，视力又清晰了，一九二四年他又配戴了新的眼镜，在几度视觉的改变中，清晰—模糊，模糊—清晰，他一直在调整“看”东西的焦距角度，一直到一九二六年去世，这一幅如今还在橘园的最后作品《四季睡莲》已经成为莫奈留给世界最后的伟大礼物。

许多画家在四五十岁达到高峰，接下来是下坡，或完全终止创作，只是重复自己，而莫奈在八十岁以后再一次创造了自己生命的高峰。

我们应该很认真地凝视这一组《四季睡莲》，像凝视莫奈的一生。

画面上有看得清晰的部分，有朦胧模糊的部分，有可以一一指点辨认的部分——这是睡莲，含苞的、绽放的、凋零的、一瓣一瓣坠落水池的。这是垂柳，飞扬的细丝，嫩黄的新芽，焦枯的枝叶。这是水波，微风中荡漾的，月光下静止如死的，像镜面一样反照一切的。那紫色淡淡的雾，微红的旭日，夏日最后霞光的灿烂，逼到眼睛张不开来的强度，无法逼视的光，——一切可以辨认的物象最后都无法辨认，是物象的全然解体，分解成最小最小的分子，分解成光，一缕光，一线光，都在逝去幻化的光。

一生寻找光的画家，在离开人世之前带领我们再看一次他看到的光，再一次感觉他在光面前的狂喜的惊叫与看到光无奈逝去的深长喟叹。

吉维尼的睡莲 1917，100 × 200 厘米

Claude Monet 1917

睡莲 1920

200 × 427 厘米，英国伦敦国家美术馆藏，莫奈的白内障要他停止“看”，而在“看”停止之后才出现了心灵上缤纷璀璨的视觉记忆。

睡莲 约1920—1926

210.3×425.8厘米，莫奈晚年画作的色彩。那色彩已经不纯然是色彩，而是生命里忘不掉的一片一片光的记忆。

最后的睡莲

莫奈说：我画这些睡莲，像古代僧侣专注于抄写经文，图绘圣像。他们全然孤独寂静，只有狂热的专注，像被信仰催眠了。

一九一四年莫奈开始画《四季睡莲》（*Nympheas*），他的视力衰退，他开始打开心灵的眼睛，他开始用信仰画画，他开始专注在绝对的孤独与寂静中，他开始在催眠的状态下画画。他的确像古代僧侣，不是靠视觉画画，而是在信仰的专注里，不依赖世俗的视觉。

一千多年前，敦煌洞窟里的僧侣画工，许多是在没有照明的条件下画画。他们没有火炬，没有油灯，火炬、油灯都会把洞窟的墙壁熏黑，洞窟深处氧气也不够，有时他们利用一小片镜子，折射反光，把洞窟外的光线引进幽暗的洞窟深处，在镜片的微弱反光里画出灿烂缤纷的“佛”“菩萨”“飞天”。

视觉在许多人类古老的艺术工作里扮演着复杂的角色，二〇〇六年诺贝尔文学奖得主奥尔罕·帕慕克（Orhan Pamuk）在他著名的小说《我的名字叫红》（*My Name Is Red*）里有精彩的视觉论述。

《我的名字叫红》叙述伊斯兰古代的宫廷画工，追求细密画（miniature）极度精细的表现技巧，从年幼画到老，老年的视觉在长期使用后耗损，因此，细密画最高的境界最后通常是盲人。不是依靠看得见的视觉，而是凭借记忆里的视觉，一种无声之声，一种无形之形，一种没有招数的招数，一种细微的手指的触感，画工在眼睛瞎了之后，才表现出细密画的极致。

读这本小说时我想到许多艺术工作最后面对的绝对孤独，一种盲人的无视，或许是阅读莫奈老年作品的另一种角度。

给自己一个机会，或许在苏黎世美术馆，或许在巴黎橘园美术馆，在一个椭圆形的房间里，被前后左右四幅《四季睡莲》包围，高度都有两米，长度有两幅是一千两百二十五厘米，另两幅比较短，是六米。

我们被《四季睡莲》包围了，在这个宁静的空间里，睡莲从四面八方包围着我们。我们不是在“看”睡莲，而是被水池、垂柳、睡莲包围着。仿佛置身于莫奈花园的水池旁，仿佛从各个角度依傍着水池。水池有时候在我们前面，有时候在我们后面，有时候近，有时候远。我们也不是只有一刻在水池边，我们感受到黎明破晓的尘雾浮游过水面，一朵莲花静静绽放；我们感受到雨后垂柳上的水滴，滴入水池，荡漾起一圈一圈涟漪；我们感受到夕阳的光的倒影，一片沉静的金黄，像是无限委屈，要诉说什么，却终究沉默逝去。

我们感受着时间、晨昏、日月、季节，都在我们四周。莫奈说：他要画出“无限”；他说：这些画，它们启示“无限”（L'idée de l'infini）。

我们可能忘了，莫奈说的“无限”正是东方美学里的长卷观念，是老子哲学说的“大象无形”，是庄子哲学的“至大无外”，是章回小说《红楼梦》的“未完成”，中国的绘画、戏剧、文学其实一直依据老庄哲学，指向终极的“无限”，而向往东方美学的莫奈最后在他的《四季睡莲》里真正实现了时间与空间的无限性。

从一九一四年开始，莫奈就在橘园里作画，他要做自己一生最后的记录。

一九一八年十一月十一日第一次世界大战结束，莫奈把画作送给法国政府，作为终战的纪念。但是他还在橘园工作，他眼睛看不见了，靠着触觉摸索，拿起颜料，询问助手颜料上的标签是什么颜色？他搜寻着记忆里的色彩，在画板上调色，凭借着记忆，涂抹在画布上，凭借着记忆，微风还在荡漾垂柳，一朵花还在绽放，一滴雨水还在坠落水池，一层雾还在池上游移，一缕日出之光还在水波上跳跃，一抹夕照还在树隙间徘徊迟疑。时间未完，生命未完，莫奈在画里留住了无限与永恒。

四季睡莲·清晨（局部）

他在一九二三年开刀动手术前极度恐惧，害怕从此完全瞎了，再也看不见、感觉不到光与色彩，他急迫地想抓住光，抓住最后的色彩。

橘园美术馆在巴黎杜乐丽花园的最西端，邻近协和广场（Concorde），南边也紧临塞纳河。

橘园在一八五二年由拿破仑三世下令修建，作为当时皇家园林的暖房，培养柑橘一类冬天需要温室的植物，“橘园”名称由此而来。

帝制结束，橘园这一建筑就作为展览空间，提供给工商业做展示会所，也曾经作为军队的活动空间。

一九二一年这个建筑拨给艺术学院，确定了它作为美术收藏与展示的角色。莫奈也正式把他的《四季睡莲》这一组晚年杰作固定在墙面上，作为永久的展示。

莫奈在这里工作到一九二六年去世，一九二七年五月二十七日《四季睡莲》正式对大众展出。

这一组作品最长的两幅都超过十二米，一幅命名为《清晨》，一幅命名为《云影》。

两件作品都以粉蓝色为基调，描述清晨薄雾，在初日的微光里，一朵一朵睡莲正在含苞待放。一片一片莲叶浮在水面，含苞的睡莲带着鲜艳湿润的红色，在大片水蓝的光里特别醒目。

《云影》也是大片粉蓝底色，但是一朵一朵白云倒映水中，使得粉蓝与白相互对话，绿色的莲叶和红色的花都成为画幅边缘的点缀。

作品尺寸很大，因此在现场浏览的感觉很不一样，画册是无法传达身临其境的真实感觉的。

莫奈事实上是放大了中国长卷画的规格，让观众更能真正走进画中，被画中的氛围环绕。

在椭圆的展示空间里，墙面不是平的，因此，微微的凹曲的弧线也更让莫奈的《四季睡莲》产生近似中国卷轴的效果。

我们在一间展示空间静坐，房间里一共有四幅作品，两长两短，围绕成一个椭圆，因此，我们是在旋转的动作中观看莫奈的作品，它设计的椭圆展示厅是一个可以使视觉流动的空间，恰恰是在把玩手卷的感觉，时间在流动，“睡莲”不再是固定时间里的睡莲，而是在四季里经历日月晨昏变化的睡莲，经历盛放到凋谢的循环，经历生与死，经历繁华与幻灭，莫奈最后的作品不再只是绘画，而是把绘画提高到了哲学的层次。

一幅比较短的作品取名《日落》，六米长，画面在一片幽暗的绿色里忽然浮现一片金黄色的光，金黄边缘漾着一些淡淡的粉紫，那是日落余晖在水池里一刹那灿烂的反光，使人惊动的华丽，然而就要消逝了。

莫奈说，他不想让水有边缘，他要一片没有边际的水，水里有云影，有反光，有无所不在的光在流动。

他又说：我凝视光，而光每一秒钟都在变幻。

一九二三年开刀拿掉白内障，他的眼睛忽然又清晰了，像长期蒙着眼罩，忽然拿掉眼罩，忽然从黑暗走到强烈的阳光下，他的视觉像再一次受到鞭打，那些他一直渴望的光，那些他在绝望的黑暗里呼喊乞求的光，忽然来了，剧烈强大的光的暴力，又变成视觉上新的折磨。

从盲人般的黑暗，恐惧黑暗，到强光刺激，又到恐惧强光，色彩在光的巨大落差里颠簸，跌跌撞撞，仿佛走在最坎坷的路上。

《四季睡莲》正是这最后六年视觉经历最大变化时的作品，莫奈的狂喜与哀号，莫奈的笑与泪，莫奈的骄傲与沮丧，莫奈致死的寂寞与永世的荣耀都在这一组画作中了。

去看《四季睡莲》，去体会一个一生追寻光的画家八十六岁带给世人的最后一首诗。

后记

为了写这本书，我在花莲东华大学美仑校区住了两个月。清晨六点在鸟的叫声里醒来，走到校园看初日下的凤凰花，看掉落一地的面包果，看松鼠吃啃着熟透的木瓜，看太鲁阁大山雄峙天空，云来云去，千变万化。下午工作到六点，到四八高地散步，俯瞰辽阔的七星潭海湾，落日余晖的反光在无限延长的海面闪烁变幻。每一天都像是莫奈的画，每一片光都像是莫奈画里的渴望。觉得莫奈近在身边，觉得莫奈仿佛就在身体里面。

二〇一〇年八月三十一日

蒋勋记于八里淡水河畔

四季睡莲·清晨 1920

200 × 1275 厘米，法国巴黎橘园美术馆藏。

四季睡莲·云影 1920

200 × 1275 厘米，法国巴黎橘园美术馆藏。

四季睡莲·垂柳 1920

200×1275 厘米，法国巴黎橘园美术馆藏。

四季睡莲·日落 1920

200×600 厘米，法国巴黎橘园美术馆藏。

画面在一篇幽暗的绿色里忽然浮现一片金黄色的光，那是日落余晖在水池里的华丽，然而就要消逝了。

四季睡莲·清晨（局部）

附录 | 重要作品列表

1854
Auguste Vacquerie
美国芝加哥
艺术中心
P.039

1855—1856
Léon Manchon
美国芝加哥
艺术中心
P.039

1855—1856
Man with a Big Cigar
美国芝加哥
艺术中心
P.039

1858
哈佛港的风景
P.045

1860
Jules Didier
美国芝加哥
艺术中心
P.039

1865
公园内
美国华盛顿
国家画廊
P.070

1865
草地午餐（局部）
法国巴黎
奥赛美术馆
P.074

1866
草地午餐
私人收藏
P.075

1866
绿裙女子
德国
不来梅美术馆
P.079

1866
草地午餐
俄罗斯
普希金美术馆
P.072

1866—1867

公园女子

法国巴黎

奥赛美术馆

P.077

1866—1867

圣雅德斯的庭院

美国纽约

大都会博物馆

P.056–P.057

1868

河边女子

美国芝加哥

艺术中心

P.088–P.089

1869

格勒鲁依叶

P.059

1872

春天

P.082–P.083

1872

日出印象

法国巴黎

玛摩丹美术馆

P.098–P.099

1872—1873

午餐

法国巴黎

奥赛美术馆

P.116–P.117

1874

阿让特港的赛艇会

P.106–P.107

1874

阿让特港的铁路桥

P.108

1875

阿让特港

法国巴黎

橘园美术馆

P.115

1875

做针线的卡蜜儿

美国宾州

巴恩斯基金会

P.127

1875

持伞的卡蜜儿

美国华盛顿

国家画廊

P.129

1875—1876

和服女子

美国麻省

波士顿美术馆

P.085

1879

水面画室

美国宾州

巴恩斯基金会

P.113

1877

圣拉扎尔火车站

法国巴黎

奥赛美术馆

P.013/P.134

1878

六月三十日蒙托哥街

法国鲁昂

艺术博物馆

P.144

1879

卡蜜儿之死

法国巴黎

奥赛美术馆

P.141

1879

维特伊雪景

美国纽约

私人收藏

P.156–P.157

1880

维特伊雪景

法国巴黎

奥赛美术馆

P.158–P.159

1883

圣亚德斯海岸

法国巴黎

奥赛美术馆

P.051

1884—1891

干草堆（系列）

美国芝加哥
艺术中心等……
P.015–P.021/P.169–P.183

1885

吉维尼的冬天

P.153

1886

贝尼里岬的岩石

P.161

1886

持伞的苏珊

法国巴黎
奥赛美术馆
P.130/P.131

1891

杨树（系列）

美国
费城博物馆
P.186–P.190

1892—1893

鲁昂教堂（系列）

法国
私人收藏等……
P.192–P.197

1897—1899

日本桥

美国新泽西州
普林斯顿大学艺术博物馆
P.220–P.221

1900

日本桥

私人收藏

P.225

1904

伦敦国会大厦（系列）

法国巴黎
奥赛美术馆等……
P.200–P.203

1908

威尼斯水道

美国麻省
波士顿美术馆
P.210–P.211

图书在版编目（CIP）数据

蒋勋谈莫奈：光的追随者 / 蒋勋著. -- 北京：北京联合出版公司，2018.4（2019.9重印）
ISBN 978-7-5596-1492-6

Ⅰ. ①蒋… Ⅱ. ①蒋… Ⅲ. ①莫奈(Monet, Claude 1840-1926) - 生平事迹 Ⅳ. ①K835.655.72

中国版本图书馆CIP数据核字（2017）第329498号

著作权合同登记号：01-2014-7602
本书由作者授权出版

蒋勋谈莫奈：光的追随者
作　　者：蒋　勋
总 发 行：北京时代华语国际传媒股份有限公司
责任编辑：李　征
封面设计：所以设计馆
版式设计：棱角视觉
责任校对：许　罡

北京联合出版公司出版
（北京市西城区德外大街83号楼9层　100088）
北京盛通印刷股份有限公司印刷　　新华书店经销
字数200千字　　710毫米×960毫米　1/16　　18.5印张
2018年4月第1版　　2019年9月第3次印刷
ISBN：978-7-5596-1492-6
定价：99.80元

CLAUDE